マインドフルネス そして ACT《アクト》へ
（アクセプタンス＆コミットメント・セラピー）

二十一世紀の自分探しプロジェクト

著
熊野宏昭

星 和 書 店

Seiwa Shoten Publishers

2-5 Kamitakaido 1-Chome
Suginamiku Tokyo 168-0074, Japan

ACT from Mindfulness

Self-discovering Project in the 21st Century

by

Hiroaki Kumano, M.D., Ph.D.

はじめに

二〇一一年三月十一日、わが国を大地震、大津波、原発事故による複合災害が襲い、現代文明にどっぷりとつかって暮らしていたわれわれ日本人の生活の場が、ガラッと変わってしまいました。直接、地震や津波の被害で命を落としたり、家族を亡くしたり、町ごと失ってしまった人たち、そして、現在も福島第一原発の放射能の脅威にさらされ住み慣れた町に近づくことができない人たちはもちろんのこと、生産ラインの喪失による経済的な混乱に巻き込まれている多くの人々、節電を強いられながらも脱原発を考える日本中の人々など、ほとんどの日本人の生活の文脈は、3・11までと全く変わってしまったと言ってよいでしょう。

これまでにも、このまま人間の欲にまかせて、自然を破壊し、産業を拡大し、マネーゲームとしての経済を暴走させ、大量消費と大量廃棄を続けていたのではまずいのではないかという思いを持っていた人は少なくなかったことでしょう。ただ、そうは言っても、現代社会の中で、一定の社会の仕組みが出来上がり、その中で上手く適応できるように勉強や仕事に打ち込み、その代価としてのお金を手にして、それを使うことで便利さを享受するといった生活の文脈からどうやって外れたらよいのか、そんなことをして生きていけるのかという問に答を持っている人はほとんどいなかったのです。ところが、そのような現代文明の文脈を、三月十一日に襲った大地震、大津波、原発事故が一気に流しさってしまったと言えるでしょう。

今回の大震災のことを言う際には「未曾有《みぞう》の」とつけられることが多いのですが、今回のような災害が本当にこれまでに無かったのかと言えば、実は全くそうではないのです。地震大国日本は、東北地方、東海地方、南海地方とほぼ一〇〇年周期で大地震に見舞われ続けてきていますし、今回ほどの規模の大地震も、一一〇〇年前に起きた貞観《じょうがん》地震《しん》の記録が残っているそうです。ただここで注目したいのは、それなのに十分な備えをしておかなかったことの愚かさではなく、それだけの憂き目に遭いながらも、その都度立ち直り、いつしか忘れて毎日の生活を楽しめるようになる人間の柔軟性や強さに対する驚きの方です。

　この原稿を書いている六月現在で、死者・行方不明者を合わせて二万三千人を超え、まだ避難所で生活をされている方が十万人近くもいます。そして、東北地方の復興は、未だに瓦礫《がれき》の除去の見通しも立っていない場所も少なくなく、福島第一原発ではいつになったら低温停止に持ち込めるのかの見通しも立たないまま、汚染の拡大が続くことが懸念されています。そして、直接被災して家族を亡くしたり家屋が全壊した人たちの恐らく一～二割が、今後長期に亘《わた》ってＰＴＳＤやうつ病等に苛《さいな》まれることになるであろうことも懸念されています。しかし、それでもいつしか人々や地域社会は立ち直り、歩み続けていくこともまた間違いないでしょうし、世界中の人々もそれを確信していることが日々報じられています。

　なぜそんなことが可能なのかと言えば、それは、大きく人生や生活の文脈が変わってしまった中で生きていく新たな「自分」を見出す力が人間には備わっているからということになるのではないでしょうか。ただ、そこで新しい自分を見出すことは、必ずしも簡単なことではないでしょう。特に今回の大震災のように、これまでの生活の場が一気に失われてしまったような場合や、その後の生活がなかなか安定しないような場合は特にそうだと思われます。また、国外に目を転じたとしても、リーマンショック後の経済的な混乱はますます混迷の度を深めていますし、中東の民主化運動による湾岸諸国での紛争の広がりや、世界各地での国民国家とテロとの戦争など、二十一世紀の世界は一寸先は闇と言ってよい状態なのです。

これまでの安定した文明社会とは全てが変わってしまった世界を生き抜くために、どのような「自分」でいればよいのかというテーマは、これからの時代に他人事《ひとごと》ではなくまさに全ての人々の関心事になっていくことでしょう。そこで本書では、柔軟な生き方を実現するための方法論として、近年、サイコセラピーの分野で非常に注目されてきているACT《アクト》（アクセプタンス&コミットメント・セラピー）という認知行動療法の最前線と、マインドフルネスという二千六百年も前にブッダが提唱した心の持ち方を縦横に結びつけながら、読者の皆さんの「自分探し」のお供をしてみたいと考えています。

この本は、元々二年前に『二十一世紀の自分探しプロジェクト』と題して出版したものでしたが、今回、これからの日本で生きていく読者の皆さんのお役に立てると考え、内容に加筆、修正を行い、星和書店から再出版していただくことになりました。このプロジェクトでは、言葉が「自分」とどのように関わっているのか、その一方で、マインドフルネスと「自分」とはどのように関わるのか、そして、言葉の「フォース」を弱めないでその「ダークサイド」から逃れるにはどうしたらよいのかといった課題を、人間の言葉がしゃべれるようになったインコのキクちゃんの助けを借りながら、皆さんと一緒に考えていきたいと思っています。このプロジェクトによって、読者の一人ひとりが、今、ここで生きる自分に気づき（マインドフルネス）、そして、そこから行動を起こしていく（ACT）ためのヒントが得られることを願っています。

目次

第一章

一人になったキクちゃん

ピーちゃんがいない

一年少し前の外来での一コマです。

以前からうつ病で私の診察をうけている主婦のAさんが、飼っている黄色いインコのキクちゃんのことで悩んでいると話を始めました。

聞いてみると、ジュウシマツのピーちゃんと一緒に飼っていたんだけれど、ピーちゃんが突然死んでしまい、それからキクちゃんの様子がおかしいというのです。

「キクちゃんはずっと、『ピーちゃんがいない』『ピーちゃんどこに行ったの?』としゃべり続けていて、何て答えたらよいか分からないし、こちらまで気が滅入ってしまいます。近所の人からは『空になった鳥籠はそのままにしておくといいよ。そうすればピーちゃんはもういないと分かるから』と言われて、そうしているんですが」。Aさんはそう言いました。

私はそれを聞いて、Aさんのうつ病が悪くならないかと心配になるとともに、不思議な気持ちに襲われました。「今まで一緒にいた友達のピーちゃんがもういないということが、インコのキクちゃんに分かるのだろうか。もしそうだとすれば、それはインコが〝不在〟を理解できることになる。しかし、それは当たり前のことではないような……」。ただその時は「オウム返し」という言葉を思い出し、それほど深く気にとめませんでした。「誰かがいなくなった時に家族が使っていた言葉をしゃべってみているだけなのかな？　数日もすれば忘れてしまうだろう」と考えて、Aさんにも「あまり気にしないで様子を見ましょう」とお話ししました。

ところが、それから数週間後にAさんが病院に来られた時にも、キクちゃんは同じようにしゃべり続けているということでした。しかも、だんだんヒステリックな言い方になってきているのだそうです。「以前は籠から外に出てよく遊んだのに、最近は元気がないようで、外に出てくることもなくなってきました」とAさんは心配していました。

私はますます不思議な気持ちになりました。なぜなら、すぐに忘れてしまいそうなことをインコがずっと覚えているだけでなく、それによって、インコが落ち込んでいるように感じられるのですから。「鳥が落ち込む」なんて、まさか本当にあるのでしょうか？

半年ほどしてようやく元気に

ただ、Aさんの担当医としては、Aさんのうつ病がいよいよ悪化するのではないか、ということのほうが心配になりました。もともと落ち込みや不安のためにAさんは治療をしているのに、一日中「ピーちゃんがいない」「ピーちゃんどこに行ったの？」としゃべられてはたまりませんから。

そこで私は、「オペラント学習」と呼ばれる行動療法の一原則を利用しました。それは、行動を増やしたり減らしたりする学習に関して、動物にも人間にも認められる明確な法則で、「自分が行動した直後にいいことがあればその行動が増え、悪いことがあればその行動が減る」というものです。私はAさんに「キクちゃんがピーちゃんのことを話す時にはサラッと受け流してなるべく聞かないようにして、それ以外のことでどんどん話し相手になってあげるように」とアドバイスしました。

それから二週間後にAさんに聞いてみたところ、「ピーちゃんのことばかり言うのはだいぶ減ってきました」とホッとしていました。「それでも『ピーちゃんはどこ行ったの?』と言ってはきますけど、その時は『空に行ったのよ』と言ってあげるようにしています」とのことでした。

その後も私は折に触れて、Aさんにキクちゃんの様子を聞いていました。そのうち言わなくなるのではないかと思っていたのですが、そんな予想に反して、時々思い出したようにピーちゃんのことを言うのは続いているとのことでした。ただ、半年後くらいになるとだいぶ元気になって、以前のようにAさんと一緒に遊ぶようになったというお話を聞くことができました。

しかし、ここでも私は不思議な気持ちに襲われました。

われわれ人間は身近な人が亡くなると、半年から一年間くらい、元気が出なかったり体調がすぐれなかったりする時期が続くことが知られており、ジグムント・フロイトはその間に起こる複雑な心理過程のことを「悲哀の仕事」と名づけました。半年くらいたってようやく元気になってきたのだとしたら、もしかして、キクちゃんにもそれと同じことが起こっていたのでしょうか？

対象喪失と悲哀の仕事

著名な精神分析学者の小此木啓吾[1]は、その著書『対象喪失』の中で、親や子ども、恋人、住みなれた土地、長年勤めた会社、身体的健康や若さ、価値観やアイデンティティなど、愛情・依存・同一化の対象を失った場合に、共通して認められる対象喪失反応について解説しています。

そしてその中で、対象を失ったことが心理的なストレスとなり起こる急性の情緒危機と、対象を失ったことに対する持続的な悲哀の心理過程を区別しています。

前者は、眼前の外的状況に対する適応の危機に結びつき、急性に起こり比較的速やかに回復していくものですが、強いショックで感情的に興奮したり、どうしていいか分からないようなパニックを起こし、身体的にもドキドキしたり息が苦しくなったりといった変化が起こったりします。それが一カ月くらいの間に治まってくると、次に、失った対象に対する思慕の情・悔やみ・恨み・自責の念など、愛情と憎しみのアンビバレントな感情を再体験しながら、少しずつ対象との関係を心の中で整理して落ち着いていくという、半年から一年くらい続く悲哀の心理過程を経験するのです。

例えば、われわれは大切な人を亡くした場合などには、それをすぐには受け容れることはできません。初めは混乱して何週間か涙に暮れたりしますが、そのうちに楽しかった思い出を色々とたどってみたり、もっとあれもこれもやってあげればよかったと後悔したり、逆に自分を残して逝ってしまった相手を恨んだり、そんなことを何度も繰り返します。そしてその過程で、自分はこれからも生きていかなくてはならないという事実をかみしめ、相手とのことが次第に思い出として感じられるようになってくると、ようやく元気が出てくるわけです。

情緒危機は、動物でも起こってもよいような気がしますが、後者の悲哀の過程は、人間ならではの反応のように思えます。しかし、小此木は上野動物園の獣医師の報告を引きながら、ゴリラやチンパンジーの場合にも、長い間連れ添った伴侶を亡くしたり、子どもを引き離したりすると、全身の体毛をむしり取ったり、嘔吐や下痢が続くようになったり、やせ衰えてしまったり、精神安定剤の投与が必要になるなどの対象喪失に対する心因性の反応が認められるとしています。

しかし、これらの動物がどれくらいの時間をかけて、どのように回復していくかについてまでは結論が出ていないようでした。その一つの理由は、動物たちが自分の気持ちを話すことができないので、正確なところが分からないということも関係しているのではないでしょうか。

キクちゃんさびしかった

その後、Aさんとキクちゃんの間に、私の疑問を明確にする決定的な出来事が起こりました。

Aさんが二週間ほど家を空けて帰宅した時のことです。ドアを開けて家に入り、久しぶりにキクちゃんと再会すると、キクちゃんはAさんに向かって勢いよく飛んできてこう言ったのです。

「母ちゃんどこ行ってたの？　キクちゃんさびしかった」

そこで驚いた私は、さらに、「さびしかった」と「さびしい」が区別できるかどうかも聞いてみました。その結果、Ａさんが外出前にお化粧を始めると、「母ちゃんどこ行くの？　キクちゃんさびしい」と言い出すし、ジャンパーなどを着るともっと大変なので、廊下に置いておいてサッと羽織って外に出るようにしているということも聞かせてもらえたのです。

その話を聞いて、それまで漠然と疑っていたことが、確信めいた思いに変わりました。

やはり、キクちゃんは、断片的であっても自分の感じていることを話せるのだ。

そして、自分と相手の区別ができるし、相手の「不在」も分かるのではないか？

そうだとすると、半年以上もピーちゃんのことは忘れていないのかもしれない。

さらに、現在と過去が区別できて、現在に至るある期間、自分がどんな気持ちでいたかを自覚して言葉にできる可能性がある。

だとしたら、悲哀の仕事に似た対象喪失反応が起きてもよいのではないだろうか。

しかし、自他の区別、現在と過去の区別、自分の気持ちの自覚、悲哀の仕事、どれも大変高度な精神活動のように思えます。小さなインコにそんなことがありうるのでしょうか。

言葉を失くしたジジ

この不思議な出来事について考えをめぐらせている時、あることを思い出しました。「われわれ人間の幼児期の記憶は、言葉をしゃべるようになってからのことしか覚えていない」という事実です。

私はある仮説にたどり着きました。

もしかしたら、キクちゃんが言葉をしゃべることと、さまざまなことを覚えていられることは、何か関係があるのではないか。そのおかげで、もういない相手を忘れなかったり、自分と相手の区別ができたり、さびしさや落ち込みを体験したり、さらにはそういった自分の気持ちを自覚したりといったことが可能になっているのではないか――。

そもそもわれわれは、言葉を使うかどうかということが、人間と他の動物を区別する大きな特徴だと思っていなかったでしょうか。インコだけでなくオウムや九官鳥も人間の言葉を話すことは広く知られていますが、それは「オウム返し」にすぎず、単に音をまねているだけのはずでした。

そもそも、動物が人間の言葉をそのままに話すのは、ファンタジーやおとぎ話の中だけですよね……。

でも、ちょっと待ってください。宮崎駿の『魔女の宅急便』のストーリーでは、キキの友達だったジジが雌猫とつがいをつくる場面で、それまで話していた人間の言葉を話せなくなってしまいます。あれは何を意味しているのでしょう?

ジジは猫の姿はしていますが、魔女であるキキのパートナーです。ある日、それまで当たり前に空を飛んでいたキキが、風邪でひどい熱を出した後、急に飛び方を忘れてしまうということが起こります。そしてその時、ジジが「ニャー」と鳴いて雌猫のほうに行ってしまうのを見て、「なによ、猫みたいな鳴き方して」と言っていました。

つまり、キキの魔法の力が弱る、ジジが雌猫とつがいになる、といったことが、ジジが言葉を失くすことと関連付けられていたようです。もしかすると、人間の言葉は魔法に通じる力を持っている、でも動物が動物として暮らすためには、言葉の力は邪魔になるということなのかもしれません。

だとすると、キクちゃんはやっぱり「オウム返し」をしているだけなのでしょうか。でも単なるオウム返しで、人間の子どものように、「母ちゃんどこ行ってたの、キクちゃんさびしかった」とまでは言えないのではないでしょうか。

この疑問が頭から離れなくなった私は、鳥の知的能力についてのこれまでの研究を調べてみることにしました。

天才オウムのアレックス

その結果、アレックスという名のヨウム（オウムの一種）を対象に、アメリカのブランダイス大学のイレーネ・ペッパーバーグ[2]が三十年近く研究してきた結果が、広く注目

図１　天才オウムのアレックス（3）

されてきたことが分かりました。

アレックスは、五十もの違ったものを区別することができ、六までの数字を数えることができ、七つの色と五つの形を覚えていて、ある物体の色・形・材質などを順番に答えることができます。そして、「同じ」と「違う」の概念を理解し、その場にないものをおねだりすることもできるのです。

そして、子どもと同じようにふざけたりもするらしいのです。例えば、ものをコン、コンとたたいて「いくつ?」と聞くと答えないので、もう一度コン、コンで「いくつ?」と聞くと「四つ」と答える。それで間違ったと思って、もう一度コン、コンで「いくつ?」とやると、「六つ」と答えたりするというのです。検査者のほうは、二つと答えさせたいわけですが、その意図を理解した上で、最初は答えずに、繰り返し聞かれた時にふざけて合計の数を答えているのです!

そして、ゼロの概念を自然に習得したエピソードも報告されています。さまざまな色のブロックが数個ずつのっているトレーを見せて、「どの色が三つ?」と聞くと、「五つ」と答えました。ちぐはぐな返答をするアレックスに対し、ペッパーバーグは「練習に飽きて、わざと違った答えをしたのかな」と思ったそうですが、同じ色が五つあるブロックはありません。そこで、今度は「どの色が五つ？」と聞いてみました。するとアレックスは、「ない」と答えたのですが、このような言葉の使い方を教えたことはなかったそうです。これが初めてアレックスが「ゼロの概念」を理解していることが分かったエピソードです。

ものが「ない」ことを鳥が理解できるのはすごいことです。こうなると、われわれのキクちゃんも、同じような状況で質問に答えたわけではありませんが、ピーちゃんやAさんが「いない」ことを理解できている可能性もあると思うのです。

ペッパーバーグによると、アレックスは、五歳児の知能と二歳児の感情を持っていたといいます。そして、十問から十五問くらい同じ実験課題に答えてしまうと、ブドウやバナナやおもちゃを欲しがったり、間違った答を言ったりして、欲求不満を示すことがあるということでした。

そのアレックスは、二〇〇七年九月に急に死んでしまいました。夜、自分を鳥籠に入れて去ろうとするペッパーバーグに「じゃあね、また明日。君を愛してるよ」と声をかけたところまでは、いつもと同じだったそうです。ヨウムの平均寿命は五十年だそうですが、享年三十一歳でした。

アレックスは、ペッパーバーグや大勢の人たちとお話をしながら一緒に遊べて、とても楽しかったことでしょう。ただ、私は心療内科医として、「人の言葉をしゃべれるようになったアレックスは、もしかしたら人間と同じように悩むこともできたのかもしれない。そうだとすると、色んなストレスもたまっていたのではないだろうか」と心配にもなってしまうのです。

発達障がいにも応用される教育法

さて、なぜこれほどまでにアレックスが人の言葉をしゃべることができるようになったかという秘密は、どうやらその訓練法にあったようです。

通常、動物に何かを教えたりする時には、繰り返し言って聞かせて、うまくできたらすぐに「ご褒美」をあげる訓練を何度も行います。そう、キクちゃんのおしゃべりを減らすのに使った（ここでは増やすのに使うのですが）「オペラント学習」の原理と同じです。

しかしペッパーバーグは、鳥に人間の言葉を教えるのには、この方法ではうまくいかないと考えたのです。その理由は、人間の子どもが日常生活の中で言葉を覚えていく場面と、あまりにもかけ離れているように思えたからです。言葉を少しずつしゃべり始める一〜二歳の子どもたちは、あらたまって言葉を覚える練習をしたり、一つ覚える度に頭をなでてもらったりお菓子をもらったりはしていません。普通の日常生活の中で、親や兄弟、親戚などに囲まれて、あっちを向いたりこっちを向いたりして、みんなに声をかけられたり、喜んでもらったり、ちょっとからかわれたりしながら、少しずつ覚えていくわけです。

そこでペッパーバーグが採用したのが、ドイツの動物行動学者ディートマー・トートが開発した「モデル／ライバル法」という方法でした。われわれが何かを覚える際に、自分で体験しなくても、その行動を誰かが実行しているのを見るだけで、自然にできるようになることがあります。これを「モデリング学習」といいます。

私が医者になったばかりの頃に、先輩が手術をしているのをしっかりと見ているだけで、自分の出番になった時に、自然に手が動いてびっくりしたことがありました。アレックスの場合も、まずは実験助手の大学院生が、物の名前・数・色などをうまく答えるのを繰り返し見せるようにしたわけです。

しかし、それだけでは自分で話そうという強い気持ちが持てるとは限りません。そこで、次に「ライバル法」と呼ばれる工夫が加えられているのです。これは、アレックスが話そうとしてもなかなかうまく言えない時に、実験助手のほうが先にうまく言って、実験者の注目を奪ってしまうという方法です。他者からの注目はとても大きな「ご褒美」になりますので、それをライバルと競って得ようとすることが、学習を進める大きな動機づけになるというわけです。

この方法は、自閉症などの発達障がいのある子どもたちに、他人への共感などのスキルを身につけさせるのにも役に立っているそうです。**図1**が掲載されたウェブ・ページ[3]に、カリフォルニアにあるニューファウンド・セラピー・クリニックでの適用例が紹介されていますが、この手法が、発達障がいのある子どもにとって習得が難しいことが知られている「他人が自分の行動をどう思うかを予測する」「肩をすくめたり目玉を動かしたりといった非言語的コミュニケーションの意味を読み取る」といったスキルを教えるために、とても有用であったとのことです。

他者の心の動きを読む能力

自閉症の人たちには、コミュニケーション能力の明らかな障がいが認められることが知られています。そして、その理由として、他者の考え・気持ち・意図などを推測する能力が欠けていることが特徴であるとされています。

他者の心の動きを推し量る能力のことを「心の理論」といいますが、正常な発達を示す子どもでは、四〜五歳になると身につくとされています。一般的には、「偽りの信念」を理解できるかどうかを調べる、以下の二つの方法で確認されます。

【サリーとアン課題】

・サリーとアンが、部屋で一緒に遊んでいました。
・サリーは、ボールを籠の中に入れて部屋を出ていきました。
・サリーがいない間に、アンがボールを別の箱の中に移しました。
・サリーが部屋に戻ってきました。
・「サリーはボールを取り出そうとして、最初にどこを探すでしょう?」

正解は「籠の中」ですが、「心の理論」が発達していない場合は「箱」と答えます。

こちらはサリー。
こちらはアン。
サリーは、ボールをかごに入れました。
サリーは、部屋を出ていきました。
アンは、ボールを自分の箱にうつしました。
サリーは、ボールを取り出そうとして、どこを探すでしょう？

図２　サリーとアン課題[(4)]

【スマーティ課題】

・前もって被験者から見えないところで、円筒状のお菓子の箱の中に小さな鉛筆を入れておく。
・お菓子の箱を被験者に見せ、何が入っているか質問する。
・お菓子の箱を開けてみると、中には鉛筆が入っている。
・お菓子の箱を閉じる。
・「この箱をお友達に見せたら、何が入っていると言うと思う?」と質問する。

正解は「お菓子」ですが、心の理論が発達していない場合は「鉛筆」と答えます。

図3　スマーティ

人間以外の動物ではどうなのか

「心の理論」を持つことは随分高度な精神機能のように思えますが、人間以外の動物ではどうなのでしょうか。

実は、「心の理論」という言葉は、一九七八年に比較心理学者のデイヴィッド・プレマックとガイ・ウッドラフ(5)が、チンパンジーにも他者の心の動きを推し量る知的能力が認められるということを報告した際に、初めて使ったものなのです。

当然この報告のインパクトは大きかったようで、それは他者の心の動きを理解しているのではなく、本能的な能力か過去の経験による学習によって、特定の場面でどう対応するのが適切かという「行動のルール」を身につけているだけであり、人間の持つ能力とは質的に違うものなのではないかという大論争を引き起こしました。

そして、その後三十年に亘って研究が続けられてきたわけですが、二〇〇八年にジョセフ・コール(6)らがまとめた報告によれば、チンパンジーは、確かに、単なる「行動のルール」ではなく、他者の行動の目標や意図、そして他者の持つ認識や知識について理解できると結論付けられています。しかしその一方で、上記の「偽りの信念」の理解に関しては、一度も実証されたことがないということも同時に指摘されているのです。

つまり、チンパンジーは他者を「状況を認識して、目標に向かって行動する心理的存在」としては理解できるが、「信念と願望を持って行動する心理的存在」としては理解できないということのようです。

「私」の必要条件になる「心の理論」

ところで、心の理論の研究家であるイギリスのフランチェスカ・ハッペ(7)は、大変面白い考え方を述べています。

自閉症の人たちにとっては、他者の心の動きを推し量ることが難しいのと同様に、自分の心の動きを捉えることも困難である。そして、子どもの発達の過程においても、他者よりも自分の心の動きが先に理解できるようになる事実はないので、「他者の心の動きを読む能力と、自らの心の動きを捉える能力は、同時に発達する」というのです。

つまり、自分を対象化して、信念と願望を持った「私」として捉えることができるようになるためには、「心の理論」の発達が必要であるということになりそうです。

アレックスは、五歳程度の知能を持っていたとされています。ということは、「偽りの信念」を含む「心の理論」が身についていたのでしょうか。残念ながら、それを直接確認する実験は行われていないようです。

しかし、自閉症の人たちに心の理論を身につけさせるのに役に立つ方法で訓練され、チンパンジーが持たない言語的能力を身につけていたという事実から考えると、もしかすると対象化できる〝自分と他者〟という概念も持っていたのかもしれません。

そして、そのような〝自分と他者〟の概念を持つことが、どれほどの光をもたらすのか、あるいはもしかすると光が大きい分、影も深くなるということがあるのか――それが、これからご一緒する「自分探しプロジェクト」の大きなテーマになっていきます。

「さあいよいよプロジェクトの開始だ」と思っていた矢先に、Aさんからまたキクちゃんのエピソードを聞かせてもらえました。手に持っていたものを落として音を立てたりすると、「かあちゃん、大丈夫？」と言うというのです。これは、そのような状況でそう言うとAさんが喜ぶということが繰り返されることで身についた「行動のルール」なのかもしれません。でも、言われたほうは「自分の気持ちを分かってもらっている」と思っても不思議はないと思うのです。

第二章
言葉が自分を作り上げる

「現実」を作り上げる言葉の力

さて、われわれの「自分探しプロジェクト」の第一の課題は、キクちゃんやアレックスが持つに至った人間の言葉が、「自分」とどのように関わってくるかという点の解明ということになります。

言葉が現実を作り上げると言われても、何のことか分からないかもしれません。しかし、ちょっと実験してみれば、言葉の不思議な力はすぐに体験することができるものです。

例えばスキーが好きな人は、「快晴のスキー場でパウダースノーの斜面を滑り降りている場面」と言われただけで、斜面を滑り降りているあの躍動感がもう感じられているでしょうし、フランス料理通の人は、「テーブルに座っていると、お店の自慢の鴨料理が運ばれてきて……」と言われただけで、料理の映像や匂いや味までも浮かんでくるのではないでしょうか。

つまり、言葉はいとも簡単にバーチャルな現実を作り出すことができるのです。そしてその力があればこそ、こうやって紙の束の上に濃淡を作っているインクの染みだけを介して、私と皆さんとの間にコミュニケーションが成り立つわけです。考えてみれば、文明・文化・学問・科学など、人間のすべての文化的活動は、このバーチャルな現実を作り出す言葉の力の上に成立していると言ってもよいでしょう。

しかし、言葉がなぜそのような力を持っているのかと尋ねられると、うまく答えられる人は少ないのではないでしょうか。

もう一度最初から確かめてみましょう。例えば、「コーヒー」と言ってみます。どうですか？　もう頭の中には、黒くてなめらかで湯気のたった液体が入ったカップが浮かんでいるでしょう。当たり前のこと？

でも、考えてみたら変な話です。単に「コー」「ヒー」という二つの音を発声しただけなのですから。さらに、同じ音を誰かが言ったのを聞いても同じことが起こりますし、このページで、「コーヒー」という四文字を見ただけでも同じことが起こるのです。

派生的関係の自動的学習

これを学習という観点から説明すると、さらに不思議なことが見えてきます。

例えば、コーヒーや紅茶を知らない子どもに、「コーヒー」、「紅茶」、「お茶」の区別を教えるとします。そこで、この三つを目に見えるところに並べておいて、それぞれを指差しながら、「これはコーヒーっていうんだよ」、「これは紅茶」、「これはお茶」と教えていきます。そして、覚えることができたかどうかを、例えば紅茶を指差しながら「これは何ていうの？」と聞いて確かめていくわけです。どうですか。イメージの中で、全部教えることができましたね。

そこで次に、「じゃあ、お茶はどれ？」と聞きます。そうすると、子どもは、お茶をすぐに指差すことができますよね。当たり前のことと思われるかもしれません。でも、**図4**を見てもらえば分かるように、さっき学習をしたのは、実線の矢印方向の関係だけだったはずですね。それなのに、逆方向の関係（これを「派生的関係」と呼びます[8]）の

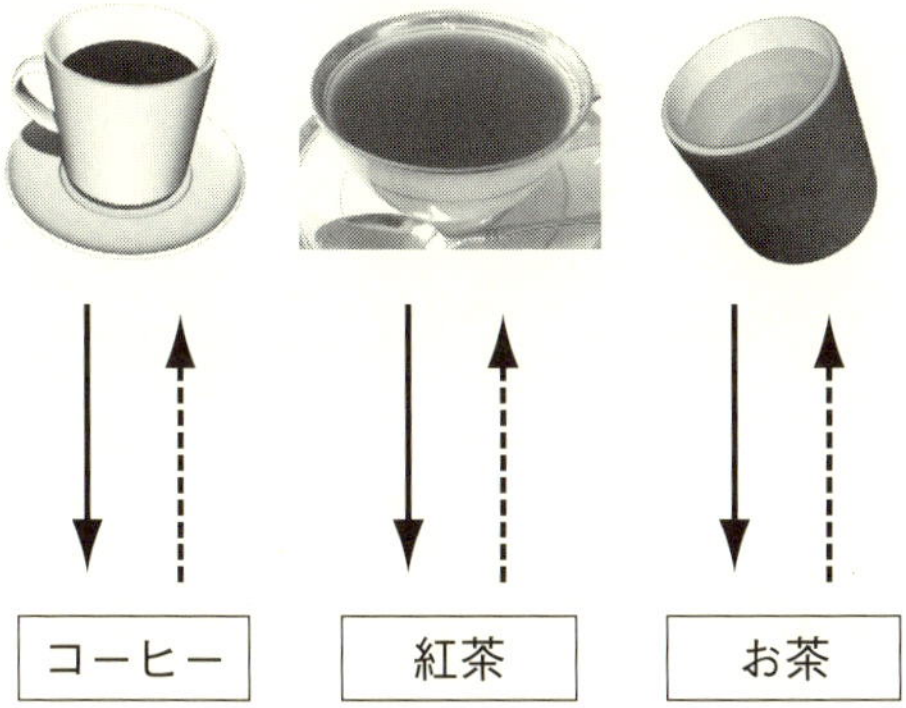

図4　言葉と対象の双方向性

学習も自動的に成立してしまったわけです。

これを「言葉と対象の双方向性」または「対称性」と呼びますが、この性質があるために、言葉を聞いたり見たりしただけで、「現実」が浮かんでくることになるわけです。別の言い方をすると、言葉が現実と同じ性質を帯びると言ってもよいですし、現実を呼び出すと言ってもよいでしょう。

例えばマンガなどで、呪文を唱えると、目の前に煙が立ち昇り、その中から名前を呼んだものが現れてくる、というシーンがありますが、それと同じことがいつもわれわれの心の中では起こっていると考えてみるとよいかもしれません。

それはチンパンジーにもできない

なぜこれがそんなに特別なことかというと、以上のような派生的関係の自動的学習は、人間以外では成立しないことが確かめられているからです。

わが国の京都大学霊長類研究所にもアイという有名な天才チンパンジーがいますが、

イギリスのニール・ダグデイルら(9)が、シャーマン、オースチン、ラナという天才チンパンジーを相手に、記号と対象物の間に双方向性が成立するかどうかを確認する研究を行いました。しかし、かなり綿密に計画された実験であったにも拘《かかわ》らず、派生的関係の自動的な学習は成立しなかったのです。つまり、コーヒーを見たら赤、紅茶は緑、お茶は青のボタンを押すように学習をさせても、それだけでは、赤や緑のボタンを見せて、コーヒーや紅茶を指差すようにさせることはできないということです。

それではなぜ、このような力を言葉は持っているのかという点に関しては、言葉の学習理論（言語行動の行動分析学）から、次のように説明されています。

われわれは子どもの頃に、物には名前があるということを繰り返し学んでいきます。その過程では、お茶を見ながら「お茶」と言うことが正解になることもあるでしょうし、「お茶」と聞いた時に実際のお茶を指差すことが正解になることもあります。つまり、実物と言葉は双方向の関係を持っているということを、繰り返し繰り返し学んでいくわけです（この学習過程を「複数の範例による訓練」といいます）。そして、果てしもない繰り返しの結果、「実物と言葉を双方向に結びつけるという行動パターン」自体が身につくというのです。

したがって、言葉が双方向性という力を獲得するのは、言葉を使い続けた結果であるということになります。ということは、人間の言葉をうまく使えた（五十もの違ったものを区別できた）アレックスでも双方向性が成り立っていてよいはずなのですが、それを直接確認する実験は行われなかったようです。もう少し長生きをしていてくれればと、とても残念な思いがします。

言葉同士がネットワークを作る

以上で、言葉がバーチャルな「現実」を作り上げる力を持つことが理解していただけたと思いますが、もう一つ、言葉にはとても重要な性質があります。

これまでは実物とその名前の関係について説明してきたわけですが、実は言葉が関係づけるものはそれだけではありません。先の説明でも、コーヒーの実物、「コーヒー」という文字、「コーヒー」という音、あるいはコーヒーの写真など、色々な「刺激」がお互いに双方向性に関連づけられていく様子を例として挙げました。そして、よく考えてみると、「コーヒー」と聞くと、それ以外にも浮かんでくるものはあるようです。

例えば、よく使うコーヒーカップ、毎朝使うペーパーフィルター、眠気がさめてすっきりする感じ、初めてコーヒーを飲んだ時の記憶、あるいは学生の頃によく行っていた喫茶店、その喫茶店のマスターの顔……など、人によってさまざまなイメージが浮かんでくるでしょう。

つまり、われわれが使う言葉は、他の言葉やさまざまなイメージとネットワークを作っており、それぞれの言葉の周りにできたネットワーク同士がまたさらにつながり合って、複雑な言葉の世界（まさにバーチャルな世界）を作っていると考えられるのです。

そして、少し考えてみると分かるように、言葉やイメージ同士の関係は、何も名前のように「等しい」という関係だけではありません。「AよりもBが大きい」、「AよりもBのほうが遠い」、「AよりもBのほうが以前のものである」、「AはBの原因である」、「Aは自分に近くBは他人に近い」……など、さまざまな関係づけが考えられるでしょう。

さらに、それぞれの言葉がまた実物ともさまざまな強さの接点を持っており、それも含めた言葉が作り上げる世界によって、われわれ自身の行動も大きな影響を受けるのです。例えば、ある人の中で「高いところ」と「恐怖」や「危険」などが関係づけられていれば、その人は高いところには行かなくなるでしょう。

新しい関連づけが一気に意味を変える

そしてここに、「刺激機能の変容」という、言葉が持つもう一つの大きな力が作用する余地が出てくるのです。その意味するところを一言でいうと、言葉が作り上げるバーチャルな世界は、一つ新しい言葉が加わるだけで、その様子がガラッと変わってしまうということです。

例えばある子どもが、もともと高いところが好きだったとしましょう。高いところに行くと、景色はいいし、気持ちはいいし、外なら空気もいい、ジェットコースターも大好きというわけです。でもある日、テレビ番組で、「人間は、もともと地面から離れて生活することはなかったので、高いところになじめる身体の構造になっていない。魚を地面に置くと呼吸ができなくなるようなものだ」という解説を聞いて、非常に納得したとしましょう（ここでの説明のために考えた架空の話です）。

それからは、高いところへ行くと思うと、「地面の魚」という言葉が浮かぶようになり、「息苦しくなる」ことが怖くなるようになってしまいました。そうなると、それまでは好きだったジェットコースターでハラハラドキドキする時に感じる息詰まるような緊迫感や、高層ビルの展望台から下を見る時に感じる一瞬息を呑むような感じなども、恐怖の対象になってしまいます。つまり、「高いところ」が自分にとって持つ「意味」がまったく変わってしまったわけです。

実は高いところ自体は、そのテレビ番組の解説を聞く前も後も何の変わりもないのですが、一つ「地面の魚」という言葉が結びつくだけで、以前は喜んで出かけていたのに、今はまったく行かなくなってしまうという、行動の大きな変化まで起こってしまうのです。

バーチャルな現実によるコントロール

逆に言えば、言葉のこの性質を利用して、われわれは自らの行動をコントロールすることができることになります。言葉を使わない動物は、本能的行動を除けば、通常自分で体験したことしか学ぶことができません。例えばある場所で敵と出合って初めて、その場所には近づかなくなるわけです。つまり行動してみて、その結果のフィードバックによって学習していくわけです（先に述べた「オペラント学習」です）。

一方でわれわれは、人から聞いた話や、自分で考えた予想によって行動をコントロールすることができます。例えば、「おばあちゃんが、あの辺りは危ないから近づかないほうがいいと言っていたから、一度も行ったことがない」といった場合です。これは予め見通しを与えるフィードフォワードによるコントロールと言ってもよく、自分で経験したことがない状況にも対応できますので、とても効率のよいものです。このように、「ある状況で特定の行動をすると、それに応じた結果が得られる」という言葉による見通しのことを「ルール」と呼び、これによってコントロールされた行動のことを「ルール支配行動」といいます。

しかし、ちょっと考えてみれば、この方法がいつもうまくいくとは限らないことも分かるでしょう。自分で経験していないから、本当に正しいのかどうか実は分からないからです。この事情を説明したのが「百聞は一見にしかず」という有名な言葉で、実際にやってみるのと考えていたのとはまったく違った結果になることがあるということを意味しています。しかし、このような言葉があること自体、一度思い込むとなかなか修正できないということも意味しているのです。

例えば、高いところはダメだと思い込んでしまった高所恐怖症の患者さんのように、です。言葉を使うことでバーチャルな現実が作り出されるので、行動の制御が可能になるのですが、その同じ理由で、修正することも難しくなるわけです。

その上、先に説明したように、ちょっと違った情報が入ってくるだけで、「ルール」そのものがガラッと変わってしまうということも大きな問題です。例えば、素晴らしい自然が満喫できて、休みの日などによく出かける山があったとしましょう。そこには滝などもあり、マイナスイオンが身体によいということも聞いて知っており、とてもリラックスできる気がしていつも立ち寄るようにしていました。ところが、ある日、その滝の近くにはマムシがいるという情報を得てしまいました。そうなると、それからは怖くて滝に近づくことができなくなり、その山に行くのも嫌になってしまうかもしれません。その山や滝自体は何も変わっていないのに、です。

このように、「ルール支配行動」は、大変効率のよい行動のコントロールの仕方ですが、事実と一致していないことがあったり、間違っている場合でもなかなか修正が難しかったり、逆にちょっとしたことで「ルール」自体が大きく変わってしまうといった問題点があるといえるでしょう。

動物にも人間にもある基本的な学習

さて、それでは人間以外の動物は、そもそもどのようにして必要な行動を学習しているのでしょう。動物は人間のような言葉は使えないのですから、「ルール支配行動」がないことは分かりますね。

「ルール支配行動」に対して、動物で認められる（人間においても等しく成り立つ）学習の形式を、「随伴性形成行動《ずいはんせい》」と呼びます。言葉での学習に対していわゆる体験学習を指す言葉です。このうちの一つが、何度か説明してきた「オペラント学習」です。

もう一度「オペラント学習」について、きちんと説明してみましょう。

例えば、ハトが目の前の的をつつくと、その直後に餌が出てくるとすると、的をつつくという行動が繰り返されるようになります。この場合、餌を与えることで的つつき行動を増やすことを「行動の強化」といい、与えられる餌のことを「強化子《きょうかし》」と呼びます。

そして、例えば、箱の中には緑のライトと赤のライトが点くようになっていて、赤のライトが点いた時に的をつついた時だけ餌が出てくるとすると、「赤のライト→的をつつく→餌が出てくる」という一連の関係が学習されます。この場合、赤のライトは「弁別刺激」と呼ばれ、的をつつくと餌が出てくるという行動と強化子の「随伴」関係を予測させる効果を持つことになります。

随伴関係とは、個体と環境の影響や効果の与え合いを意味しますが、この関係性を説明するためによく「機能」という言葉が使われます。つまり、的をつつく行動は餌を引き出す機能を持ち、餌は的つつき行動を増やす機能を持つ。そして、赤のライトは的つつき行動と餌が出てくることとの対応関係を予測させる機能を持つわけです。

また、「オペラント学習」の成立に対してもう一つ必要となるものに、今の例であれば、そもそも餌を強化子として機能させるための個体側の条件があります。それが何か分かりますか？　そう、「空腹であること」ですね。環境条件を操作してこのような状態を作り出す（例えば一定時間餌を与えないでおく）ことを、強化刺激に対する「確立操作」と呼びます。

この「オペラント学習」が人間でも成り立つことは、子供のしつけなどを考えるとよく分かると思います。頼むとすぐにお使いに行ってくれる子どもに育てるためには、お使いから帰ってきた時にどう接するか（うんと喜んでみせる、頭をなでてあげる、お小遣いをあげるなど）がとても重要ですし、どのように頼むかもまた大切なことになります。そして、「強化子」をまったく与えなくなれば、いったん形成された行動が比較的簡単に消えてしまう（消去される）だろうことも予想できますね。

そして、もう一つの随伴性形成行動は、パブロフの犬で有名な「レスポンデント学習」で、よく条件反射といわれるものです。「音を聞かせて、その直後に肉を与えると、唾液が出る」という操作を何度も繰り返すと、音を聞かせただけで唾液が出るようになるわけです。この場合は、音が肉と同じ機能を持つようになったということになります。これは、生理的あるいは情動的な反応に対してよく認められる学習形式ですが、これも、音だけで肉が出てこないことが続けば、容易に消去されることも予想できると思います。

人間の学習の特殊性

ここまでお読みになれば、いかに人間の学習が特別なものであるかがご理解いただけたことでしょう。人間以外の動物は、本能的行動に加えて自身で経験したことしか学習することができない。それに対して人間は、言葉を使うことでバーチャルな現実を作り上げ、それによって自分の行動をコントロールすることができるわけですから。

そう、われわれはどんなことでも考えたり感じたりすることのできる「意識」を持っているし、それをまとめる主体としての「自分」を持っている、それによって環境条件に一方的に従属することなく自分の「意志」で行動し、世界を変えていく力を持っている万物の霊長なのです。

しかし、先ほどお話しした、言葉やそれが持つ力がどのように学習されていくのかを説明している行動分析学では、ちょっと違った考え方をしています。そこでは、思考、感情、記憶、身体感覚といった外から見ることができない心理的な活動（私的出来事といいます）も、環境との随伴関係の中で学習される通常の行動と同じように捉えます。そして、意識自体も言語行動の集まりであると定義されているのです。

「私的出来事も行動」とはどういうことでしょうか？

「意識は言語行動の集まり」とはどういうことでしょうか？

「それって何のこと？」と思われることでしょう。そう考えることで何が変わるのでしょうか。

われわれには自由意志はない!?

実はそれによって、コペルニクス的転回というべき、世界観や人間観の変化が起こるのです。

もう少し具体的に説明してみましょう。「随伴性形成行動」のところでご説明したように、われわれの行動はすべて、環境との相互関係の中で何らかの機能を持っています。そもそもある機能があるから学習され維持されていくと言ってよいでしょう。そこで、思考や感情も同じ「行動」であるとすると、それも環境との相互作用の中で学習され維持されていくということになります。とすると……、環境が絡んでくるわけですから、必ずしもわれわれの自由とはならなくなりますね。このことを、わが国を代表する行動分析学者の佐藤方哉(10)は、「われわれがいわゆる『自由意志』を持っているという考えはまったくの幻想である」と表現しています。

でもちょっと待ってください。人間だけが、自分で経験しなくても知識として学んだことや予想（＝自分で考えたこと）によって、自分の行動を効率よくコントロールできるルール支配行動を使いこなせるのではなかったのでしょうか。これは環境に従属しているというのとは違うはずです。

ここでヒントになるのは、「考えることがバーチャルな現実を作り出す」ということです。つまり、そこで作り出された「現実」（＝環境）との随伴関係の中でコントロールされる行動をルール支配行動と呼ぶわけです。そしてここで「現実」を作り出す思考自体が、環境（これには外的な環境と、言葉が作り出すバーチャルな環境の両方が含まれる）との随伴関係に基づいて形成され維持されていると考えると、そこにどれ位の「自由意志」が入る余地があるかは確かにかなり疑わしくなってきます。そして、もし自由意志がないとすると、意志の主体である「自分」というものもないということになってしまうのではないでしょうか。

繰り返し「私は……」と話すこと

しかしその一方で、われわれには「自分」があるという厳然たる自覚があります。そして、自分の欲求を感じますし、それを言葉にすることもできますし、それに基づいて行動することもしないこともできます。これを行動分析学はどう説明しているのでしょうか。

先に、ものの名前を覚える「複数の範例による訓練」という学習を繰り返すうちに、言葉とものとの関係づけの仕方（双方向性）自体を身につけていくという考え方の説明をしました（35ページ）。実は「自分」が形成される過程も、それと同じように説明できるというのが、行動分析学の立場になるのです。

われわれは毎日、常に目の前の環境や自分の身体や心（内的な環境と言ってもよいでしょう）の変化に対応することを迫られて生きています。それは乳児や幼児も同じです。お腹がすいたら何かを食べないといけませんし、暑すぎたり寒すぎたりするところからは逃げ出す必要があります。また、周りの人たちに自分の状況を説明して助けてもらうようにしなくてはなりません。

そのような時われわれは、「お腹がすいた」、「寒いから嫌だ」、「おもちゃが欲しい」

などと口にするわけですが、そこには、必ずしも毎回表現されなくても「私が、今、ここで」という言葉が含まれているわけです。そして、それと同時に、自分のことでないことを話す場合には、周囲からきちんと区別をすることを求められるため、「あなた（誰か）が、その時、あそこで」という言葉を含めて話すことになります。

そして、このような体験を無限に繰り返すことで、「私（自分）」の視点と、「あなた（他者）」の視点という一般化された関係づけの仕方が身につくのだと説明されるのです（**図5**）。つまり、自分や他者の視点も、言葉の双方向性と同じように、言葉を学習する過程で身につくというシンプルかつ興味深い仮説が提示されていることになります。

となると、普通の動物はこのような視点を持たないことになりますが、実はアレックスは「僕はバナナが欲しい」、「僕は夕食にしたい」、「僕は籠に帰りたい」などと、自分の欲求を表現できたそうです。そうなると、ますます、「自分」を持っていたのではないかと、私は思いたくなります。いかがでしょうか。

私は、ご機嫌だ。

私は、楽しい。

私は、さびしい。

私は、お腹がすいている。

私は、ご飯を食べたい。

私は、おもちゃが欲しい。

私は、テレビが観たい。

私は、幼稚園に行く。

私は、動物園に行く。

私は、歌を歌っている。

私は、勉強をしている。

↓

私は、[illegible]

図5　「私は……」と繰り返すことによる「私（自分）」の視点の獲得

自他の視点の獲得と発達障がいへの応用

さて、ここまで読んできて、「どこかで聞いたような話だな」と思った方もいらっしゃるのではないでしょうか。そうです。第一章で、他者の心の動きを読む能力を「心の理論」といい、それと自分の心を捉える能力は、成長過程において同時に発達するという考え方を紹介しましたね。そして、自閉症の方では、この能力が未発達であるということも説明しました。

行動分析学を臨床に応用したものとして、応用行動分析という分野があり、自閉症を含む発達障がいの方々の養育は、そこでの大きなテーマの一つです。主に「オペラント学習」の原理に基づいて未発達な能力を伸ばしていく働きかけが行われ、大きな成果を挙げています。そこでは基本的な言語訓練なども行われますが、自閉症の方々を対象にした「心の理論」獲得のための試みも続けられているようです。

そのための方法の一つとして、アメリカの行動分析学者スティーブン・ヘイズ(11)が、ここで紹介した、「私が、今、ここで」と「あなたが、その時、あそこで」という表現法を系統的に繰り返し訓練することで、「心の理論」を発達させるのにある程度の効果を挙げていることを報告しています。

実は、これまでに述べてきた言語行動の行動分析学の説明の大部分は、ヘイズが中心になって理論的・実証的な研究を積み重ねてきた「関係フレーム理論」に基づいたものだったのです。「関係フレーム理論」では、「さまざまな刺激（事物や言葉自体）を関連づけ、双方向性を成り立たせ、刺激機能の変容（38ページ）を引き起こす行動」＝言語行動、と定義しているのです。

そう考えると、心の理論の発達不全は言語行動の発達不全ということになり、上記のような訓練法が導き出されることになるわけです。

第一章では、チンパンジーが、他者の行動の目標や意図そして他者の持つ認識や知識については理解できても、他者が持つ「偽りの信念」については理解できないということをご紹介しました。このことも、「信念」が一般的に言葉で表現されると考えれば了解できるのではないでしょうか。つまり、心の理論の成立にとって、言葉を使えることは少なくとも必要条件であると考えてよいのではないかということです。

しかし、もう一点はっきりさせておく必要がありそうです。第一章で出てきた「行動のルール」（24ページ）のことです。これまでのお話から、第一章で述べた「行動のルール」とは、随伴性形成行動を通して身につく行動パターンであることは分かっていただけるだろうと思います。一方で、この章では、私的出来事も行動であり、意識は言語行動の集まりであり、つまりすべて「環境」（バーチャルなものも含む）との随伴関係の中で規定されるものであるという説明をしてきたわけです。

とすると……、「偽りの信念」を理解するということも行動であって、それが身につくということは「行動のルール」を学習したと説明してよいことになるわけです。ただ、その場合の付帯事項として、この場合の行動とは、言葉が作り出すバーチャルな「環境」を前提にして成り立つものであるため、言葉が使えない動物には認められないという点を忘れないことが重要です。

概念としての自己

本章を結ぶにあたって、少し視点を変えて、自分といっても何種類かあるのではないかということを考えてみたいと思います。

図6は、高野山大学の井上ウィマラ[12]の『心を開く瞑想レッスン』という本からの引用です。井上は、「私」という感覚を持つために必要とする時間は、人によって違うということを説明しています。皆さんも、ご自身に当てはめて考えてみてください。

まずは、一番多い捉え方だと思いますが、生まれてから死ぬまですべての体験で「私」は構成されているという考え方です。とても常識的で日常的な「私」であり、われわれはこの「私」が主人公である物語を一生かけて生きていくし、その物語がわれわれのアイデンティティと呼ばれているものだ、と考えると分かりやすいかもしれません。

この「私」を支えるものは、当然毎日の生活の記憶ということになるわけです。しかし、改めて記憶というものについて考え始めると、実はこの基盤は日ごろ思っているほど確かなものではないということが見えてきます。

例えば、われわれの記憶は一晩寝るとかなり大きく変わることが知られています。単純化して言うと、自分に都合がよいものを大きく、都合が悪いものは圧縮して長期記憶にしまっていくのです。

そしてそれができなくなっている心の病が「心的外傷後ストレス障害（ＰＴＳＤ）」という病気です。大地震、交通事故、凶悪犯罪などに巻き込まれ、あまりにも怖い思いをしたために、自動的な記憶の処理が進まなくなっている病気と考えられていますが、いつまでたっても、事件の記憶が思い出にならず、今起こったばかりのように思い出されてしまう病気と考えていただくとよいでしょう。そうなると、時間が止まったようになり、未来のことが考えられず、毎日強い不安や落ち込みを感じ続けることになります。そして、過去から未来へと続く時間の流れの中での「私」というものが成立しなくなってしまうのです。

患者さんは、事件にあう前の自分に何とかして戻りたいと思いますが、それはかなわず、記憶の中の自分と現状とのギャップの大きさに苦しみ続けることになります。しか

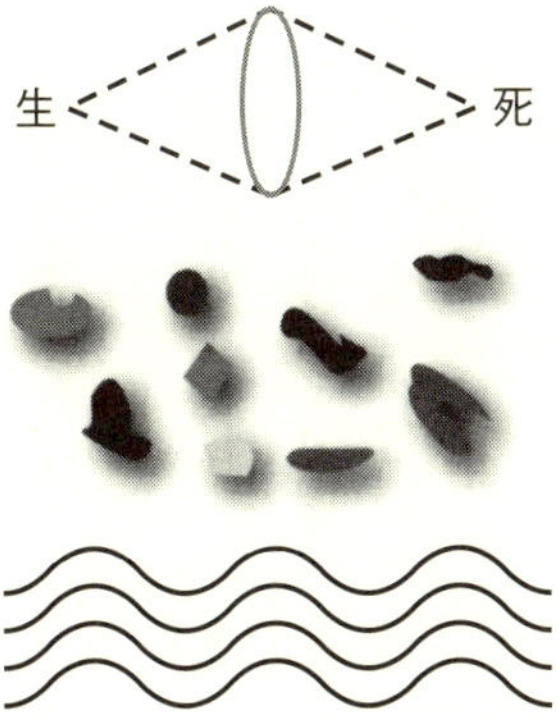

図 6　記憶による「私」の認知に必要な時間[12]

し、この大変な病気にも比較的短時間で大幅に改善できるカウンセリング治療があり、それがうまくいった場合には、例えば十年悩んでいたとすればその十年があっという間に経ってしまい（ちょうど浦島太郎のように）、記憶が大きく変化するということが実際に起こります。

日常的な「私」は、このようにとても不確かなところのある記憶に依存しているという意味で、問題なしとはいえないわけです。また、自分の中で作り上げた「物語」に縛られてしまうと、場合によっては臨機応変に柔軟に生きていけなくなることも予想できるでしょう。

このような自分のことを、上記の関係フレーム理論は、言葉の働きによって概念化された「概念としての自己」と呼び、往々にして硬直化したルール支配行動と結びつきやすいものとして捉えています。

プロセスとしての自己

次の自分は、「非連続な私の物語」と名づけられているものですが、数秒から数分の間に自分が考えたり感じたりすることを振り返れば、そこに自分らしさが現れているとする捉え方です。これにも共感を持たれる方はいらっしゃることでしょう。子どものころ、泣いたり笑ったりとすぐに変わると、大人から「今泣いたカラスがもう笑った」とからかわれたものですが、私的出来事も環境との随伴性の下で形成され維持される行動であるとすると、実は時々刻々変化するのが当たり前と考えられます。

この場合、問題になるのは、それぞれの精神状態が非連続であることを自覚せずに、その時その時の状態になりきってしまうといった場合です。そうなると、気分の波やそれに伴う一時的な思いに振り回されてしまって、一貫性のある行動ができなくなってしまいます。

しかしその一方で、自分の心の動きを少し離れたところから見ることができて、巻き込まれないでいられれば、そのような問題はなくなり、むしろその時その時の自分の私的出来事の動きを自覚しながら、的確に行動できるようになることでしょう。

このように、今ここでの瞬間ごとに、環境との相互関係に基づいて行動する自分のことを、関係フレーム理論では「プロセスとしての自己」といいますが、その自分を少し離れたところから観察する心の持ち方は、マインドフルネスと呼ばれています。マインドフルネスはもともとブッダが推奨した心の持ちようです（66ページ参照）。

場としての自己

最後に残った自分は、一秒以下の瞬間ごとの生命の流れとしての自分であり、純粋な感覚経験の流れに触れることで自分の存在感が感じられるとする捉え方です。これまでの自分は、一生を通した自己概念や短時間の私の物語など、主に思考によって作り出される産物のほうを意味していましたが、この自分は思考過程も含めてすべての心の働きを作り出していく側を指しているようです。

瞬間瞬間に気づいていく心の働きと言ってもよいもので、これがあるから上記のマインドフルネスも可能になると考えられるでしょう。関係フレーム理論には、この「生命の流れ」に相当する自己は規定されていませんが、上記のプロセスとしての自己の究極の形として説明できるかもしれません。

一方、関係フレーム理論では、「場としての自己」、「観察者としての自己」、「文脈としての自己」などと呼ばれる第三の自己を提唱しています。これはプロセスとしての自己や概念としての自己が働く場を提供するもので、ヘイズによれば、それ自体に中身はなく、したがって境界も定めることができないと説明されています。そして、この第三の自己も、「私が、今、ここで」という視点を獲得することによって成立するのです。その理由は、幼少時に「私の視点」が一度確立すると、どこに行っても自分はその場所（「ここ」）から見ていますし、見ている時が今ですし、見渡すことができる世界には原理的に果てがないからです。

この自己は、大乗仏教でいう「空」に相当するようにも思えますが、井上が修行をしたテーラワーダ仏教では、「空」という説明概念を持ち出さないことを踏まえると、機能的には、実は上記の「生命の流れとしての自分」と近いものなのかもしれません。

もし自己の連続性というものが想定できるとすれば、それは、自己概念によっても、プロセスとしての自己によっても保証されるものではなく（なぜなら、前者は変化に対応することができず、後者は元々連続性がないからです）、生命の流れとしての自分によって、つまり自分が生き続けているという事実によって可能になるのでしょう。そう考えると、「場としての自己」は、生命の流れとしての自分と同じような働きを表現していると考えてもよいように思えるのです。

プロジェクト・第一課題の到達点

さて、「自分探しプロジェクト」の第一の課題の到達点としては、自分と他者という視点が、言葉を学習すること自体により獲得される可能性があるということが、一番大きなポイントと言えるでしょう。

それに加えて、自分や自己はいくつかの異なった観点から捉えることができるということも見てきました。そして、①思考が作り上げた「概念としての自己」は、アイデンティティに通じる重要な側面を持つが、行動の柔軟さを失わせる危険があること、②その一方で、「今、ここで」の体験を意味する「プロセスとしての自己」は、環境との随伴関係を体現するが、振り回される危険があること、③その危険に陥らないようにするためには、マインドフルネスという心の持ち方や、その基盤としての「生命の流れとしての自分」や「場としての自己」の働きがポイントになる可能性があること、を概観しました。

ここで述べた三種類の自己を前提にすれば、47ページで紹介した「われわれには自由意志はない」とする考え方も、さらに深く理解することが可能になります。つまり、この場合は、「誰に」自由がないのかと考えてみるとよいでしょう。「自由意志がない」という言葉は、ある自己イメージを自分だと思い込み（「概念としての自己」が優位な状態）、その自分が自由に考えたり行動したりできるはずだと考えると、自由にはならないということを意味しているわけです。一方で、今ここでの体験を通して現実を把握し、それに沿って柔軟に行動する（プロセスとしての自己）、そしてその自分の動きを客観的に見ることができている（場としての自己）という状態が実現できれば、自らが置かれた場（文脈）に最も合うように行動できるはずであり、そういう意味では、より大きな自由を享受《きょうじゅ》することができるとも言えるのです。

次の章では、この大きな自由を得るための要になるプロセスとしての自己と場としての自己を十分に機能させる上で必要になると考えられた「マインドフルネス」について、さらに掘り下げて考えてみたいと思います。

第三章

自分探しとマインドフルネス

マインドフルネスの隆盛

「自分探しプロジェクト」の第二の課題は、プロセスとしての自己、場としての自己の双方と深く関わる心の持ち方であるマインドフルネスについて検討し、それと「自分」との関連を探ることです。

「マインドフルネス」とは、元々はパーリ語（ブッダが日常会話で使っていた言葉）の「サティ」という言葉の英訳で、日本語では「気づき」、漢語では「念」と訳されています。「なーんだ、気づきか」、という感じでしょうか。でも、これが今なぜこんなに注目されているのかというと、実はさまざまな背景があるようです。

まず、世界のグローバル化に伴い、過去半世紀ほどの間にインドのヨーガ、日本や韓国の禅、チベット仏教、東南アジアのテーラワーダ仏教（初期仏教）などが欧米各地に紹介され、非常に広く実践されるようになったという経緯があります。六〇年代から七〇年代にかけてのヒッピーや精神世界ブームの際などには、これらに関心を持つ人たちは多少とも現実社会から遊離する傾向があったようですが、現在ではあちこちにヨーガ、禅、瞑想などのセンターが設置され、多くの人々の生活に溶け込んでいるようです。それに比べると、日本の状況はむしろ大変遅れていると言ってよいと思います。

さらに近年は、カウンセリング（ここでは薬物を使わないで心理行動面に働きかけるさまざまな介入法を意味している）や脳科学の分野などでも、それぞれ最先端の領域で研究や実践が進められるようになり、大変興味深い成果が得られるようになってきたことも、広く注目されるようになった理由と考えられるでしょう。

カウンセリングの大きな流れ

例えばカウンセリングの分野では、現在、症状や問題行動を改善しセルフケアを促進するために、実証的な研究成果に基づいて、非適応的な行動パターンや思考パターンを系統的に変容していく「認知行動療法」という方法が広く用いられています。その中にはさまざまな方法が含まれているのですが、代表的なものは、第二章で説明した行動分析学を基盤にした「行動療法」と、現在の認知心理学や認知科学と関連が深い「認知療法」で、どちらも実証性を重んじるという点では共通ですが、理論的にはかなり異なった立場に立っています。

前者がすべての行動の形成や維持を環境との随伴関係から説明するものであることはすでに説明した通りですが、逆に言えば、行動の原因として内的なものを想定しないということになります。そのことが意味することは、心身二元論的な立場を取らず「心」が行動の原因とは考えないということと、さらには、知能とか動機づけといった構成概念（直接には観察できない概念であり、観察可能な事象から理論的に構成される概念のこと）を原因として行動を説明しないということになります。

その一方で、後者は、環境との随伴関係は考慮せず、行動は外から入ってくる刺激をどう解釈するかという情報処理システム（認知）によって決定されるという「認知モデル」に立脚しています。これは、行動の原因として認知（心）を想定しているということですし、さらにその認知の働き方をさまざまな情報処理モデルを構成しながら解析していくという方向性を持っていますので、構成概念によって行動を説明していくことになるわけです。

しかしこれから説明していくように、両者はこれだけ異質な体系なのですが、どちらもマインドフルネスを導入することによって、とても共通した知見が得られてきている面があり、お互いの本質的なコミュニケーションが成り立つようになってきているのです。

この流れが進んでいけば、両者を共通して理解できるような観点が確立されていく可能性もありますし、さらには、無意識の動きに基づく内的対象関係（心の中にイメージとして持っている対人関係）を重視する精神分析などの力動的心理療法や、家族やそのメンバーをシステムとみなして介入を進める家族療法など、従来から広く実践されてきた他の心理的介入法とも、合流していけるようになるかもしれないと感じています。

マインドフルネスを一言でいうと

さて、そのように注目を集めているマインドフルネスとは一体どんなものなのでしょうか。

それは端的に説明すると、「今の瞬間の現実に常に気づきを向け、その現実をあるがままに知覚し、それに対する思考や感情にはとらわれないでいる心の持ち方、存在の在《あ》り様《よう》」ということになります。

通常われわれが対象を知覚する際には、ほぼ自動的に解釈したり評価する思考が起こり、それと同時に好き・嫌いなどの感情も加わった上で認識が成立しています。しかし、その解釈、評価、感情のほとんどが個人的（集団的、文化的、本能的）なバイアスに由来しているため、現実をありのままに知覚するということは容易ではありません。つまり、思考や感情は、現実や自分そのものではなく、心の中の一過性の出来事にすぎないのですが、そういったものが自分と対象との間に割り込んでくるために、対象をあるがままに体験できなくなり、そのことが限りない誤解や苦しみを生む原因になっているわけです。

マインドフルネスが医学や心理学の領域で広く知られるようになった功績は、少し後でまた説明しますが、アメリカのジョン・カバットジンにあります。そのカバットジン(13)

はマインドフルネスのことを、「瞬間瞬間立ち現れてくる体験に対して、今の瞬間に、判断をしないで、意図的に注意を払うことによって実現される気づき」であると説明していますが、この言葉の中に「体験に対して、今の瞬間に、意図的に注意を払うこと」と、「判断をしないで」という二つの要素が含まれていることは、どうすればマインドフルネスという心の持ち方を実現できるかという点で参考になると思います。[14]

二千六百年前の自分探しプロジェクト

さて、二千六百年もの昔に、ブッダはどんな理由があってマインドフルネスを推奨したのでしょうか。

その理由を窺うためには、ブッダ自身が説いたマインドフルネスの根本経典の一つとされる「呼吸による気づきの教え」を見てみると参考になります。この経典の解説としては、ラリー・ローゼンバーグ[15]の『呼吸による癒し』（春秋社）、井上ウィマラ[16]の『呼吸による気づきの教え』（佼成出版社）などが出版されており、どちらもとても分かりやすく具体的な説明がなされています。

この経典の核になる部分は、それぞれ四つの文章からなる四つのパートから構成されており、まるで結晶のようなとてもシンプルで美しい構造をしています。それは、井上によると「呼吸を、四つの領域（身・受・心・法）から、十六の視点で見つめるトレーニングシステム」と説明されているものです。

そこでは、身体、感受（五感と思考で内外の環境を捉える働き）、心の感情面（欲・怒り・迷いなどに関わる心の状態）という三つのパートのそれぞれに関連した四つずつの側面を、順番にマインドフルに観察する訓練を行っていくということになります。そしてその目的が、いわば「自分探し」なのです。ここでいう「自分」とは、ずっと変わらず存在していて、思い通りにコントロールでき、常に満足を与えてくれる拠り所になるものです。そんな自分を持つことができたら、どんなにわれわれは幸せに、充実して生きていけることでしょうか。

つまり幸せに生きるために、「自分」といえそうなものを、身体、感受、心のさまざまな働きの順に、一つずつ詳しく観察して確認していくわけです。しかし、慎重に検討を重ねた結果分かってくることは、身体も、五感や思考も、感情も、そのどこを探してみても、先ほどの条件を満たしてくれるもの、つまり、ずっと変わらず存在していて、思い通りにコントロールでき、常に満足を与えてくれる、そのような「自分」は見つからないという事実なのです。

そして、その事実が意味することをさらに深く理解するために、四つ目の法則性に関するパートが置かれています。ここでは、すべての私的出来事・外的出来事は変わり続けていく一過性のものに過ぎない（無常）、そのように一過性のものに執着すると、失望を繰り返し味わうことになる（苦）、つまり、どこにも不変の自分などは存在しない（無我）——という事実自体をマインドフルに観察することが目標になります。つまり、二千六百年前の自分探しプロジェクトのゴールは、結局自分といえるものはどこにもないということ、それを徹底して知ることであったわけです。

「マインドフルネス瞑想」の実践法

マインドフルネスは、「今の瞬間をありのままに知覚する心の持ち方」ですので、日常生活のすべての側面で実践されることになりますが、日々社会生活に追われているわれわれにとっては、最初から常にそのような心の持ち方を維持しようとすることは余り現実的ではないでしょう。そこで、まずは通常の瞑想法と同じように、一定時間座って実践したり、ゆっくりと歩きながら、あるいは何らかの動作をしながら実践することになります。

座って行う場合は、座禅をする時のように身体の力を抜き、背筋を伸ばして座り（正座をしたり、椅子に座っても構いません）、そして、呼吸に伴う身体の動きに気づきを向けます。

その際、呼吸は「ゆったりと」するくらいにして、なるべくコントロールしないようにします。つまり、深く吸ったり吐いたりしたい時にはそうして、浅く速くしたい時にはそうするように、〝呼吸のことは呼吸に任せていく〟のです。そして、例えば、お腹や胸の辺りの動きに気持ちを向けた場合は、「ふくらみ、ふくらみ」、「ちぢみ、ちぢみ」と、身体が動く感覚をそのまま感じるようにします。

そうこうしていると、すぐに何かを考えているのに気づくでしょう。そうしたら、「雑念、雑念」と心の中で二〜三回唱え（「ラベリング」といいます）、さらに「戻ります」と唱えて呼吸に伴う身体感覚に優しく注意を戻すようにします。あるいはどこかに痛みを感じたら「痛み、痛み……」、戻ります」、かゆみを感じたら「かゆみ、かゆみ……、戻ります」という具合です。

しばらく続けていくと、また何かを考えています。今度はしばらく気づかずに、「何とかあいつにだけは負けたくない」とか、「これだけは何とか自分のものにしないと」などと考えてしまっているかもしれません。そういった場合は、思考のレベルを超えて感情が動き始めていますので、「怒り、怒り、怒り」、「欲、欲、欲」などと「ラベリング」していくようにします。

以上のように、雑念、五感、感情などに引き込まれていることに気づいたら、「ラベリング」をしてそっと呼吸の感覚に戻るということを、繰り返し繰り返し行っていくわけです。[17]

この練習がある程度できるようになると、はっきりと「ラベリング」しなくても、雑念に気づき、そっと呼吸に戻り、雑念が自然に消えていく過程が分かるようになってきます。それでも、また次の雑念は出てきますし、身体の痛みが気になったり、感情も動いたりしますが、気づいたところで、そっと呼吸に戻るようにしていれば、それ以上強くなることはなく、しばらくすると消えているでしょう。

なお、「マインドフルネス瞑想」は、正確には「ヴィパッサナー瞑想」と呼ばれ、アルボムッレ・スマナサーラ[18]著『自分を変える気づきの瞑想法』（サンガ）などで詳しく解説されています。

実践を繰り返すことによる脳の変化

以上のようなマインドフルネス瞑想の実践を十年、十五年と続けていくと、大変興味深い変化が脳に起こってくることが、二〇〇五年にアメリカのサラ・レイザー[19]によって報告されました。それは、脳の限られた領域の容積が増大したというものです。

それに先立つ二〇〇四年に、ドイツのボグダン・ドラガンスキ[20]が、ジャグリング（複数の物を空中に投げ続ける技。この研究では日本のお手玉で三つ投げるのと同じ方法）の練習を三カ月間行った人の中側頭皮質《ちゅうそくとうひしつ》に厚みの増加が起こり、その後三カ月間練習を止めるとそれが元に戻ることを示しました。つまり、脳であっても、筋肉と同じように、使えば太り、使わないとやせることが明らかになったわけですから、まさに驚きです。

しかし、この場合脳の中では何が起こっているのでしょうか。われわれの脳の神経細胞は生まれてからは増えないとされていましたが、十年以上前に海馬《かいば》と呼ばれる記憶を司る部位だけは例外であることが発見されました。しかし、この実験で示された場所は海馬ではありません。とすると、この場合増えたり減ったりしているのは神経細胞ではないと考えられますね。

ちなみに、運動した時に筋肉が太るのは、やはり筋肉細胞の数ではなく、一つひとつの細胞内のタンパク質の量が増えることによることが分かっています。ただ、神経細胞ではそのような現象は知られていません。その一方で、脳が働くためには神経細胞の数以外にも、神経細胞間の線維連絡やシナプスと呼ばれる連結部の数、あるいは神経細胞に栄養を与えているグリア細胞などの働きが重要であることが分かっています。つまり脳を使うことによって増えたり減ったりするのは、神経細胞の働きを支える構造物である可能性が高いと思われます。

ところが、ごく最近、動物では、脳内のどこの部位でも神経細胞のもとになる神経幹細胞が増えることが分かってきました。そして、血流が増えている細血管の周辺で幹細胞が増え、実際に働く部位に移動して神経細胞として分化する様子が捉えられているそうです[21]。また、海馬で神経細胞が新生し記憶を担う細胞が新しい細胞で置き換えられる結果、中期記憶の消去と、大脳皮質内の長期記憶への移行が促進されることも分かってきました[22]。したがって、マインドフルネス瞑想を行うことで、「自分」の処理に関わる部位の神経細胞の働きが活発になるだけでなく、それらの神経細胞を入れ替えることで、その部位が担う「記憶」を更新することが可能になるのかもしれません。

どのような機能と関連した部位か

マインドフルネス瞑想の実践で厚みが増した部位は、**図7**にある1と2で、それぞれ島《とう》と背内側前頭前野《はいないそくぜんとうぜんや》と呼ばれる部位です。この後で説明する「マインドフルネス認知療法」に詳しい早稲田大学の越川房子が、「マインドフルネスは心の腕立て伏せ」と説明していますが、ここでも瞑想中によく使われている心の働きに関係した脳部位が、筋肉と同じように厚みを増していると考えるとイメージしやすいかもしれません。

島は、すべての身体感覚をまとめ上げ、さらに情動調節の中枢である扁桃体に出力信号を送っている部位であり、不安障害などで過剰に活動していることも知られています。情動研究の分野では、古くから「悲しいから泣くのではなく、泣くから悲しいのだ」という考え方（ジェームズ＝ランゲ説）がありましたが、島の働きは、まさにそのような結びつきを支持するものといえるでしょう。

座って行うマインドフルネス瞑想では、呼吸に伴う身体感覚の変化に気づきを向け続けますので、身体感覚をまとめ上げる脳部位が厚みを増すことは道理にかなっていますが、先に説明したように、その感覚から逸れて思考や感情に注意が向かわないようにするという訓練は、島と扁桃体の働きの独立性を高め、結果的に情動調節の自由度を大きくしているのかもしれません。

さらに、もう一カ所厚みを増していた背内側前頭前野という部位は、さらに興味深い脳機能と関係しています。この部位は、自分や他人の思考や感情の動きを対象化して（「メタレベルで」といいます）理解する能力に関わっていることが示されているのです。

ここで「おやっ？」と思われた方もいるでしょう。そうです、「自分や他人の心の動きを捉える能力＝心の理論」でしたね。実際に、自閉症の方では、この部位から、後部《こうぶ》帯状回《たいじょうかい》と呼ばれる部位を含む頭頂葉内側《とうちょうようないそく》にかけての「内側皮質部位《ないそくひしつぶい》」の機能や構造に異常があることが示されています。

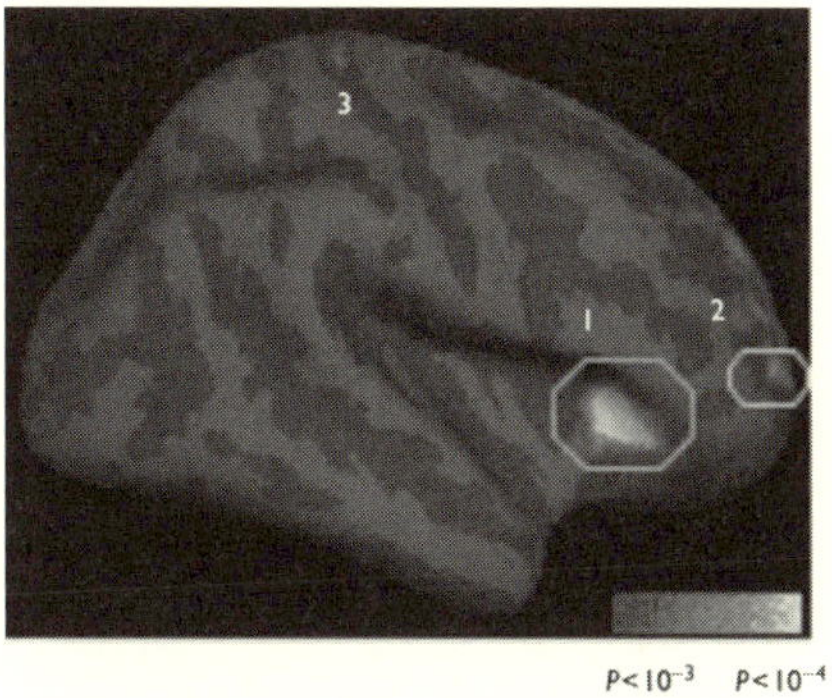

島 (1)、背内側前頭前野 (2) の皮質の厚みが明らかに増加

対照群 (■) で認められた背内側前頭前野の厚みと年齢との間に関連は、瞑想群 (●) では認められなかった（高齢になっても萎縮を示さなかった）

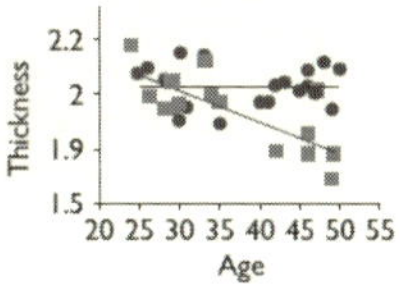

図 7　脳の容積が変化した (19)

自己や他者の概念はどこに現れるか

近年、意識や自己などを研究対象にした脳科学的研究は増えてきており、その中に、心の理論との関連を扱ったものも少なくありません。そして、多くの研究結果が蓄積されることにより、おぼろげながらその全体像が見えつつあります。

まず、自分の視点を持つということと、他者の心の動きを推し量ることが、脳のどの部位と関係しているかという観点から研究したものは、前者に「右側の側頭頭頂連結部《そくとうとうちょうれんけつぶ》」(側頭葉と頭頂葉の境界部位)や隣接する「下頭頂小葉後部《かとうちょうしょうようこうぶ》」が関係しており(図8)、後者には先に説明した「内側皮質部位」が関係していることを示しています[23]。

ところが、他者の心の動きを「一貫性を持って」読むという課題には、むしろ、内側皮質部位ではなく、右側頭頭頂連結部が関連しているということを示した研究もあるのです[24]。

ここで、第一章に紹介したハッペ[7]による、そもそも他人の心を読む能力である心の理

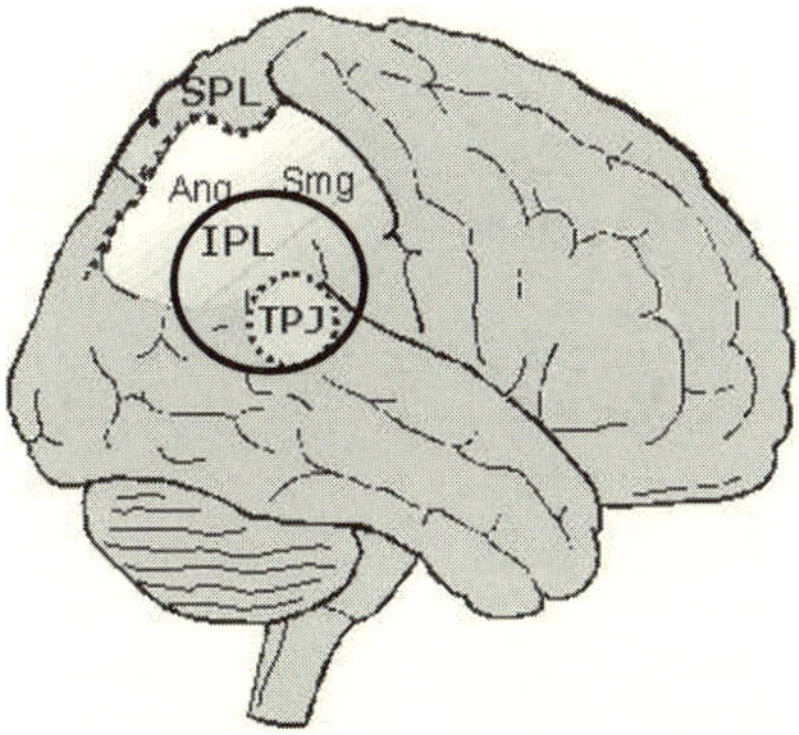

TPJ：側頭頭頂連結部、IPL：下頭頂小葉

図８　概念としての自己・他者と関連のある
右側頭頭頂連結部

論と、自分の心の動きを捉える能力の間には、区別がつかないほどの深い関わりがあるとする考え方を思い出してみましょう。これを踏まえて、先ほども「自分や他人の心の動きを捉える能力＝心の理論」と説明しましたね。

となると、上記の二つの脳部位の働きの差は、自分か他者かという違いに関連しているのではない可能性があります[25]。

中核自己と範例自己

そこで参考になるのが、著名な神経科学者であるアントニオ・ダマジオ[26]の自己に対する捉え方です。ダマジオは、われわれが環境中の対象との一時的な関係を、瞬間瞬間に更新しながら捉え直す自己の働きのことを「中核自己（core self)」と呼び、この自己は、一貫性のある身体を基盤にした「範例自己（proto self)」を規準として常に参照する必要がある、としています。

さて、この区別はどこかで読んだことがあるような気がしませんか？　そうです、第二章で説明した関係フレーム理論が提唱していた〝プロセスとしての自己と、概念としての自己〟の区別とかなり重なってくるようです。

実は関係フレーム理論では、他者についても同様に「プロセスとしての他者」と「概念としての他者」を区別しているのです。そして、関係フレーム理論に基づいた言語訓練は、心の理論の発達にも役に立つということでしたね。

以上をまとめると、〈注意を向ける対象が自己であろうと他者であろうと、それが瞬間瞬間に変化する心の動きをモニターするという作業である場合は、内側皮質部位が関係し、一貫性のある自己像や他者像を形成する必要がある場合は、右側頭頭頂連結部が関係する〉と考えれば、矛盾なく説明できるのではないでしょうか。

ただ、右脳には言語中枢はありませんので、「概念としての自己・他者」とつながるためには左脳の働きも関与する必要があります。その候補としては、いくつかの研究で関連が示されている左の側頭頭頂連結部などを考える必要があると思います。

自分の心を他人事のように眺める

ここでもう一度レイザーの報告に戻ってみると、この研究では、背内側前頭前野は厚みを増していますが、右側頭頭頂連結部には変化が認められていません。つまり、マインドフルネス瞑想とは、自分の心の動きを他人事《ひとごと》のように眺める練習を繰り返すことで、プロセスとしての自己を鍛える方法であるということを示していると考えられそうです。

つまり、ブッダが二千六百年前の自分探しプロジェクトで目指したのは、概念としての自己（自分は○○だという思い、自己イメージ、永遠不滅の魂など）を手放し、プロセスとしての自己を強化することであったことが、現代の脳科学研究からも裏づけられているといえるのではないでしょうか。

そして、自己であれ他者であれ時々刻々観察する力と関係する背内側前頭前野の厚みが増すことは、プロセスとしての自己を常に見失わずにいることで、「生命の流れ」や「場としての自己」を自覚できるようになっていくことも示唆しているのかもしれません。

心身症、痛み、癌、精神疾患にも適用されている

マインドフルネスの説明のところで引き合いに出したカバットジンは、分子生物学者として研究を始めましたが、その後、マサチューセッツ大学医学部でストレス・クリニックを創設し、一九七九年より、マインドフルネスとハタヨガを中心に据えた八週間のグループ治療プログラムである「マインドフルネスストレス低減法（Mindfulness-Based Stress Reduction：ＭＢＳＲ）」の指導を始めました。

現在は、アメリカ、ヨーロッパに二百を超えるＭＢＳＲのセンターやクリニックがあり、慢性疼痛《まんせいとうつう》、癌《がん》、心臓病、うつ病、不安障害などさまざまな心身の病気に対して大きな効果を挙げています。個々の病気の原因を突き止めた上で、それに対して治療を行う西洋医学のモデルからすると、さまざまな病気に対して同様なプログラムが治療効果を挙げるということ自体が、大変興味深いものです。

その効果の大きさに関して、二〇〇三年に、ドイツのポール・グロスマン(27)らがそれまでに報告された六十四の治療研究を詳細に調べ、データがきちんと収集されている二十件（半数程度がランダム化比較試験）を対象にしたメタ解析（全研究をまとめて統計学的に介入効果の大きさを求める解析）を行っていますが、心理面にも身体面にも中程度の効果が認められることが示されました。

また、二〇〇八年に、ダイアン・レデスマ(28)と私が、癌患者のみを対象にした治療研究十件をまとめてメタ解析を行った結果でも、心理面ではグロスマンの研究と同じ中程度の効果が認められ、身体面でも、軽度ではありますが有意な効果が示されました。さすがに癌は進行する疾患であるため、身体面の大きな改善は望めないのだろうと考えられましたが、それでも心理面の十分な改善が得られているという事実は特筆してよい結果だと思います。

ＭＢＳＲの治療者になるためには数カ月間の実習が必要とされるため、わが国にはＭＢＳＲを実施できる治療施設はほとんどありません。ただ、例外的なものとして、二十年も前にカバットジンの下に留学をして日本でＭＢＳＲを展開する許可を得た北山喜与(29)

が、京都の人間性探求研究所で実践しているマインドトーク洞察（諦観）法といったものがあります。さらには、カバットジン[13]の代表的著作の翻訳である『マインドフルネスストレス低減法』が二〇〇七年に再版（日本での初版は一九九三年）されていますし、先に紹介した井上ウィマラは、アメリカ在住中に特待生としてインターンシップを受けているとのことですので、これから広く紹介がされていくようになるかもしれません。

思考から距離を取り、影響力を減らす

心理臨床の領域で、マインドフルネスの効用がさらに広く知られるようになったのは、イギリスのジョン・ティーズデール[30]らのグループが、反復性うつ病患者の治療プログラムとして、ＭＢＳＲに基づく八週間のグループ療法である「マインドフルネス認知療法(Mindfulness-Based Cognitive Therapy：ＭＢＣＴ)」を開発し、その効果を報告したことが契機になりました（**図9**）。

ティーズデールは、認知療法の専門家として、情報処理モデルに基づいて長年うつ病

の治療に当たっていました。そして、反復性うつ病患者の再発のメカニズムを研究しながら、予防的介入に利用できるグループプログラムの開発を手がけていました。

当初の予想は、同じくよくなった患者であっても、認知の歪みと呼ばれる情報処理の偏り（自分・周囲・将来に対する悲観的過ぎる考え方）が残っている者のほうが再発率が高いというものでした。もしそうであれば、認知療法の方法論に従って、認知の歪みを修正する働きかけをさらに深めていけばよいことになります。

しかし、実際には、よくなっている時期における認知の歪みには、その後再発した者と、しなかった者とで差がないことが示されました。その一方で差が認められたのは、ちょっとした抑うつ気分に反応して悲観的な思考パターンが出てきてしまうことと、そこで出てきた思考にさらに反応して悲観的な思考が次々と引き起こされること（反芻《はんすう》思考と呼びます）だったのです。

そこで、ティーズデールらは、よくなっている時期に、一時的な抑うつ気分やそれに反応して最初にフッと出てくる思考（自動思考と呼びます）などの影響力を減じることができればよいと考えました。そのためのプログラム開発をしている途中でＭＢＳＲを

・セッション 1　自動操縦状態に気づく
・セッション 2　うまくいかないとき
・セッション 3　呼吸へのマインドフルネス
・セッション 4　現在にとどまる
・セッション 5　そのままでいる
・セッション 6　思考は現実ではない
・セッション 7　自分を大切にする
・セッション 8　これからに活かす

図 9　8 週間のグループプログラムとしての MBCT の構成[30]

知り、思考や感情から距離を取って、それが心の中の一過性の出来事に過ぎないことを繰り返し観察するマインドフルネスの効力に注目したのです。つまり、マインドフルに思考や感情を観察できれば、それに動かされる程度も小さくなると考えたわけです。

ここに来て、第二章で説明した行動分析学の随伴性モデルにおける「機能」の考え方（44ページ）とつながったことに皆さんは気づかれたでしょうか。つまり、マインドフルネスによって思考や感情などと距離を取ることにより、それらの機能が変化するのです。

「することモード」から「あることモード」へ

もう一つのポイントとして、ティーズデールらが挙げているのが〝「することモード」から「あることモード」への切り替え〟です。われわれは目が覚めた状態で何か活動している時には、いつもある目標を達成するための行動に駆り立てられています。例えば、今私はなるべく早くこの原稿を書き上げようと一所懸命頑張っている、つまり「することモード」で活動しているわけです。

もちろん、そのこと自体は必要なことですが、目標を達成することだけで頭がいっぱいになってしまうと、自分の心の動きを距離を取って眺めることはできなくなります。そうなるとわれわれは、自分の中の強い感情状態（欲・怒り・迷い）に振り回されることになりがちです。つまり、この仕事ができなければ自分には価値がない、あいつに負けたら自分はもうやっていけない、この会社で出世できなければ自分は終わりだ、などと本気で思ってしまうことになるのです。これは上記のような感情状態と自分とを同一視している状態と言ってよいでしょう。

これまでの研究からも、特にうつ病の人は、自分が成し遂げたもの＝自分の価値、と考えがちであることが知られています。そうなると、ちょっとうつ状態が強くなり、その分仕事の能率が少し落ちただけでも、「やっぱり俺はダメだ」と考えてしまいそうですね。そしてそう考えた結果また気分が落ち込むので、さらに仕事の能率が落ちるという悪循環に容易に入ってしまうことになります。

そこで、少し走り続けるのをやめて、自分のすべての私的出来事から距離を取って、ただそこで観察している、マインドフルネスの状態（＝「あることモード」）になってみましょうと提案されるのです。

つまり、「われわれは本来、何も握り締めていない、誰とも戦っていない、どこにも向かっていない……ということを思い出してみる」[31]のです。

それでも自分（＝プロセスとしての自分）はここにいますし、むしろ平安な気持ちでいられることに気づくことも少なくありません。その理由は、「あることモード」が、先に挙げた欲・怒り・迷いから離れた心の状態であるからです。

「メタ認知的気づき」を育てる

ティーズデールらは、ＭＢＣＴによって強化される認知的状態のことを「メタ認知的気づき」と呼びました。これは、「否定的な思考や感情を、自分としてではなく心の中の一過性の出来事として捉える認知的過程」であるとされていますが、これまでの説明からはマインドフルネスがもたらす認知的過程であるといえるでしょうし、心の理論でも重要な役割を担う「認知的能力」である（それに加えて必要なのは、一貫性を持たせる能力でした）とも考えられるでしょう。

ここで興味深いのは、認知の歪みを系統的に是正していくことを目的とする標準的な認知療法でも、この「メタ認知的気づき」が高まることによって再発防止効果が現れているとするデータが報告されていることです[32]。これに対しては、認知の歪みを修正しようとする場合に、ある考え方の代わりになる複数の考え方を探すという練習を繰り返すことになることから、元々あった極端な考え方（＝認知の歪み）の信憑性が相対化され（つまり機能が変わり）、「メタ認知的気づき」が高まるという解釈が可能でしょう。

そしてさらに興味深いのは、認知療法を始める前に体験したことの記憶に対する「メタ認知的気づき」と、認知療法を始めてからの記憶に対する「メタ認知的気づき」を測定すると、後者のみが高まっていたという事実です。つまり、情報処理の観点からは、認知療法がメタ認知的気づきを高める効果は、記憶の記銘―保持―再生（物事を覚え、忘れないようにして、思い出す）の過程のうち、記銘の段階に効いていることが明らかになったといえます。

ＭＢＣＴによるデータは報告されていませんが、直接的にメタ認知的気づきを強める方法ですから、おそらく同様の結果が出ることが予想されます。そして、もし作用機序に認知療法と共通するものがあるとすると、記憶の記銘が起こる段階に働きかける必要があることになりますので、常に気づきを維持する（プロセスとしての自己を見失わない）ことの大切さが、情報処理モデルからも提言されるということになるかもしれません。

そして、マインドフルネスの実践を続けると、そうでない時に比べて、欲・怒り・迷いといった感情が長く続かなくなることも、この研究結果から予想されるのではないでしょうか。つまり、色んな事柄に関して、不必要な執着がなくなり、たとえ嫌なことがあったとしても根に持たず、過ぎればすぐに忘れるようになりそうです。例えば、メタ認知的気づきと同時に、トラウマ記憶の強さや影響力を測る質問紙などで、マインドフルネス瞑想の長期効果を調べてみたりすると興味深い結果が得られるかもしれません。

第四章

言葉の世界全体から距離を取る

「マインドレス」な心と思考の働き

これまでのところで、「マインドレス」な（気づきを持てない）心が色々な問題を生み出すことが分かっていただけたと思います。例えば、ＭＢＣＴの項で説明した「することモード」で、欲・怒り・迷いなどと距離を取ることができずに、それを自分そのもののように感じてしまうことの弊害についてお話ししました。また、第二章で取り上げた概念としての自己の項では、自分の中で作り上げた「物語」にすぎない自己概念と距離が取れなくなると、まさにそれが自分であると思い込んでしまうことになり、硬直化したルール支配行動と結びついてしまう危険があることについてお話ししました。

そして、この「マインドレス」な心の弊害には、思考やそれを生み出す言葉の働きが深く関わっていることを指摘してきました。ＭＢＣＴの説明では、色々と考え続けてしまう反芻思考が最も問題とされていましたし、概念としての自己では、言葉で作り上げた物語であるという特徴が強調されています。

それではなぜ、思考や言葉がこれほどまでに問題とされるのでしょうか。

それは、ひとつには、世界は非常に複雑なのに、思考で捉える際にはどうしたって限られた言葉しか使えませんので、その一断面を切り出すことしかできないからと言えるでしょう。それなのに、言葉の双方向性で説明したように、われわれは言葉で表現した内容を、自動的に現実そのものと思ってしまうのですから大変なことになるわけです。

そして、現実は常に変わり続けているので、仮に言葉にした時にはかなり正確に表現できていたとしても、あっという間に現実からずれていってしまい、次々に問題を生み出していくことになってしまいます。

しかし、われわれは言葉を使えるようになって、文明を築き、学問や科学を発展させ、文化を伝承することができるようになったばかりでなく、どこまでも広がっていくバーチャルな現実の中にも生きることができるようになりました。そのメリットはあまりにも大きく、今さらなくすことはできないでしょう。

それではどうすればよいのか、それを一緒に考えたいというのが、われわれの自分探しプロジェクトの最終課題になります。

われわれの毎日の社会生活は、思考や言葉を中心に営まれています。そうなると、われわれは今述べてきたようなネガティブな影響を常に受けながら暮らしているということになります。

それは「自分」との関わりでいえば、容易に概念としての自己が優位な（自動的に自分そのものと思ってしまう）状態になり、プロセスとしての自己が忘れられてしまう（したがって、場としての自己も感じられなくなる）ということを意味しています。

となれば、概念としての自己を相対化し、プロセスとしての自己を強化していくにはどうすればよいのか、もう少し具体的な方法が知りたくなります。

見ただけ、聞いただけにとどまる

そこで、まずは、マインドフルネス瞑想が取っている戦略について、もう一度詳しく見てみることにしましょう。

呼吸による気づきの教えで扱われる四つの領域のうち、最も重視されるのは、実は感受（72ページ参照）の領域であるとされています。そして、それに関わるブッダの言葉が、テーラワーダ仏教の中で大切に伝承されてきており、スマナサーラの法話でも読むことができます[33]。

それは、バーヒヤという元商人がブッダから聞いた途端に完全な悟りを得たとされるもので、以下のように語られています。

「見るものは見ただけで、聞くものは聞いただけで、感じたものは感じただけ、考えたことは考えただけでとどまりなさい。その時あなたは、外にはいない。内にもいない。外にも、内にもいないあなたはどちらにもいない。それは一切の苦しみの終わりである」

われわれが対象と接するのは、感受を通してです。この場合、五感は分かりやすいと思いますが、仏教では思考も一種の感覚器と捉えているようです。

これは、五感が主に外界の変化に対して反応するのに対して、思考は脳の変化に反応していると考えてみたらよいと思います。例えば、寝ている時に夢を見るのは、脳の活動を思考が捉えているということになります。あるいは、五感が引き起こした脳の変化に思考が反応するという場合もあるでしょう。

ただ、ここで思考と呼ばれているものが、ある刺激に反応してフッと浮かんでくる思考（自動思考）やイメージに相当しているという点に注意が必要です。ある思考が刺激となって、ああでもないこうでもないと次々に考え続けている状態（反芻思考）は、ここで言っている思考とは別物になります。

話を戻しますと、われわれは何かを見たり聞いたりする時に、必ずそれに対して色々なことを思い浮かべています。例えば、オリンピックでスポーツ選手がすばらしい活躍をしているのを見ると、「元々能力があるんだろうな」、「あれだけ成功すれば悩みはないだろう」、「異性にもてるだろう」、「いやいや、日常生活を犠牲にしてきたに違いない」などなど、評価、比較、理由づけなどを含む考えが際限なく浮かんできます。これが自分が「外にいて」、対象に対する勝手な解釈を作り出しているという状態なわけです。

でもその時に、もう少し注意して自分の考えていることを見てみると、同時に自分について色々と考えていることに気づくことも多いのではないでしょうか。先ほどの例であれば、「それに比べて自分には能力ないしな」、「悩みも深いし」、「異性にはもてないよな」、「でも日常生活は大切にしているぞ」……などです。つまり、外的な対象に対して勝手な解釈をするのと同時に、自分に対する勝手なイメージも膨らませてしまっているわけです（第二章で説明した、考えたことはバーチャルな現実として機能するということを思い出してみてください）。これが、自分が「内にいて」バーチャルな現実で不自由になっているという状態です。

だからこそマインドフルネス瞑想の戦略のポイントは、感受を感受の状態にとどめて、思考を外にも内にも広げない、そして自分（概念としての自己）を作り出さない、ということになるのです。

思考がなくても五感は働く

けれどもわれわれは、通常は目が覚めている限り常に何かを考えていますので、思考のない状態など想像することもできません。それに、考えなければいいといっても、それでは何も理解することなどできないじゃないかと思ってしまうでしょう。

ただ、思考がなければほんとに対象の認識ができないのかと改めて聞かれると、そんなこと考えたことがないという人がほとんどなのではないでしょうか。

例えば、人間の言葉をしゃべらない動物であっても、かなり正確にその場その場での状況を認識しているように思えます。それに、何かを見たり聞いたりして、ものすごく感動した時には「言葉を失う」と言うではありませんか。

そうだとすれば、思考がなくても五感は働く（もっと正確には、考え続けなくても、五感＋自動思考で対象の理解はできる）わけです。これは、例えば、目の前の景色を、小説に書かれた文章を読むように理解するのではなく、撮影された写真を見るように理解すること、と考えてみるとよいでしょう。

実際に、マインドフルネスの歩く瞑想では、呼吸に合わせて歩きながら、吐きながら一、二、三、吸いながら一、二、三と、地面につく足の裏の感覚に気づきを向けていくことがあります。その時に、足の裏に気持ちを向けながらも周囲を見渡すようにしてみると、よく知っている場所でも、今まで気づかなかったような景色のディテールや色合いが、とてもヴィヴィッドに感じられることがあります。

実は色々と考えることが、対象の理解をむしろ妨げていると考えたほうがよいのかもしれないのです。

例えば、栗田昌裕[34]が提唱する速読法では、比較的初期段階でワナワナリーディングという練習を行います。これは、一行の端から端にリズミカルに目を動かして見ることで意味を取る練習（徐々に数行をまとめて見るようにしていく）ですが、そこで黙読してしまうとむしろ遅くなるので、心の中で「分かった」、「なるほど」と繰り返すことによって、文章を音に置き換えることを抑えながら、端から端へ目を動かしていくのです。

少し慣れてきたら、「分かった」と「なるほど」の最初の音だけを「ワナ、ワナ、ワナ……」と心の中で唱えながら読んでいくので、「ワナワナリーディング」なわけです。

栗田式速読法では、頭の中で言葉に置き換えて読む通常の方法を「音の読書」と呼ぶのに対して、この方法を「光の読書」と呼んでおり、写真に撮るように眺めることで、文字の意味理解もできるとしています。

つまり、五感＋自動思考だけが働くようにしたほうが、対象の正確な認識ができる可能性があることになりますが、マインドフルネスはそのような状態を目指しているといえる面があるのです。

実況生中継をする

そして、感受の状態にとどまることを日常生活の中で行う工夫を、スマナサーラ(18)は実況中継していく方法として紹介しています。その際の三つの原則は、スローモーション、実況生中継、そして感覚の変化を感じ取るということです。

スローモーションでは、からだを普通のスピードで動かすのではなく、できるだけゆっくりとした動きにします。歩く、立つ、座るといった動作から行いますが、日常のすべての動作（例えば、お茶を飲んだり、シャワーを浴びたり、掃除をしたり）を対象にすることが可能です。

実況生中継は、今行っていることを頭の中で簡単な言葉で確認することです。この言葉によるラベリングを隙間なく切れ目なく行って、今の瞬間にとどまるようにします。これを実行すると、雑念が消え、集中力が生まれてきます。

感覚の変化を感じ取るとは、手を上げたり、歩いたり、座ったりするたびに、体の感覚が変わり、その時浮かんでくるイメージや考えも次々に変わっていきます。その変化を感じ取り、何も解釈をせず、そこで止めるようにするということです。

ここでの方法論上特に大事なのが、「感覚の変化を感じ取り、何も解釈をせずに、そこで止めるようにする」という注意で、この部分が先に述べた感受を感受の状態にとどめるという点に相当しているわけです。

気持ちの落ち込みや不安に対しても、この方法はとても有効です。日常生活の中で、つい大変なことばかり考えてしまって、打ちのめされてしまう。例えば「仕事がすごく忙しくて、これを乗り切れるだろうか。どんどん能率も落ちて、今日も夜遅くまで会社にいたけれども仕事がはかどらなくて、できないからますます遅くまで残っていなくちゃいけない。こんな仕事、これから先続けていけるのだろうか」と考えれば考えるほど気持ちが沈んできてしまいます。「考えるのをやめなさい」と言われても、やめようと思ってもやめられない。

そんな時に、まず自分の手や足の裏の感覚をジーッと感じるようにしてみる。何かを持っていればその手の感覚、立っていれば足の裏が地面についている感覚。そして、自分のやっていることを一つひとつ頭の中で言葉にしてみるのです。

例えば朝出勤する時に、いろいろ頭に浮かんできて、気持ちがすごく重くなってしまうなら、朝の身支度をする時に一つひとつ言葉にしながらやってみるのです。今、右手を伸ばしました。歯ブラシを取りました。歯ブラシにペーストを付けました。口に入れました。右上、左上、右下、左下、右上、右下、水をくみました。水を口に含みました。ゴロゴロ、ペッ。ゴロゴロ、ペッ。全部言葉にしてやってみましょう。すると、余計な考えが頭に入ってこなくなります。

気づきだけの世界

『呼吸による癒し』の著者のローゼンバーグ[15]は、同じく感受に対する気づきが大切であることを説明する際に、マインドフルネス（気づき）のほうに基本的な秘密があるという視点からの考察を行っています。とても分かりやすく解説されていますので、一部引用してみましょう。

「（気づきには）色も重さもなく、掴むこともできないのに、ただそれ自体で極めて力強いのです。気づきを痛みや不快な感受に向けると、変容が起きます。貴金属を金に変容させるといわれている古代の錬金術のようなものです。ここで卑金属にあたるのが私たちの中にある渇望、嫌悪、迷妄です。火にあたるのは気づきで、密閉された容器は集中です。できあがってくる金にあたるのが解放（解脱）。……あなたは何も変えようとはしていません。気づきそのものが変容の力をそなえた微妙なエネルギーなのです」

いかがでしょうか。「見るものは見ただけで、聞くものは聞いただけで」とどめるのは、実はそこに作用しているマインドフルネスの力そのものであったというわけです。

さらに、ローゼンバーグは別の箇所で、何かをしながらそのプロセスを意識することができるのは人間だけであるということを指摘しています。

これは、マインドフルネスとともに、「プロセスとしての自己」や「中核自己」も、人間のみが持つものであると言っていることになります。

ブッダの最期の言葉は「気づきを怠るな」であったとされていますが[35]、それが意味することは、これまでの説明からは、プロセスとしての自己を保ち続け、「生命の流れ」や「場としての自己」を自覚できるようにしなさい、ということになるでしょう。

そして、その結果何が実現するかというと、マインドフルネスは、痛み、不快な感受、欲・怒り・迷いの感情などすべての私的出来事を変容する力を備えているわけですから、気づきを向けることによって、私的出来事の増殖が止まり自然と消えていくことになります。そうなると、最終的には、今の瞬間に対する気づきのみがずっと連続していくような、思考が生まれる以前の生命の躍動感にあふれた世界が広がっていくことになるのかもしれません。

ただ、実際に、マインドフルネス自体が上記のような力を持つかどうかや、「プロセスとしての自己」や「中核自己」を人間以外の動物は持っていないのかという点に関しては、今後の実証的研究の成果を待ちたいと思います。

なぜ言葉がそれほどの力を持つのか

さてそれでは、逆になぜ言葉や思考がそれほどの影響力を持ってしまうのでしょうか。それが分かれば、ネガティブな影響を減らすためのもっと効果的な対策を生み出すことができるかもしれません。

そう、その第一の理由は、第二章で説明した「言葉が持つ双方向性」でしたね。考えたことを自動的に現実と考えてしまうわけですから、それが大きな影響力を持つのは当

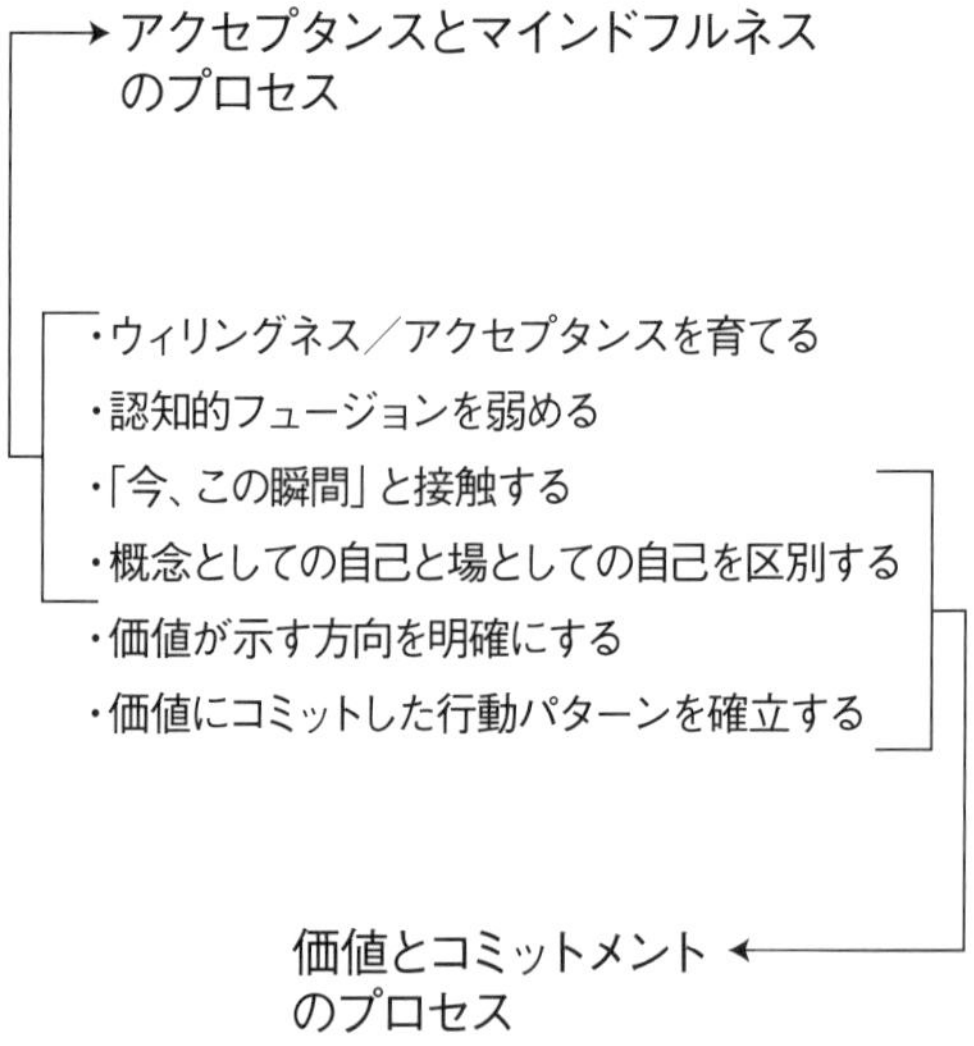
アクセプタンスとマインドフルネス
のプロセス
・ウィリングネス／アクセプタンスを育てる
・認知的フュージョンを弱める
・「今、この瞬間」と接触する
・概念としての自己と場としての自己を区別する
・価値が示す方向を明確にする
・価値にコミットした行動パターンを確立する
価値とコミットメント
のプロセス

図 10　ACT の介入段階[36]

たり前、ということになります。

例えば、「俺って何の取り柄もないよな」と思ったりすると、そういった自分がありありと浮かんできてしまいます。つまり、われわれは今自分が考えているという事実を忘れてしまうと、容易にその思考の世界に呑み込まれてしまうのです。

関係フレーム理論では、このような現象のことを「認知的フュージョン」（思考内容と現実とがフュージョンしている状態）と呼び、この理論に基づいて構成された認知行動療法の介入体系である「アクセプタンス＆コミットメント・セラピー（ACT：アクトと発音する）」（**図10**）では、これに対抗するための脱フュージョンと呼ばれる技法が数多く用意されています。

ここでは、そのうち、「思考から見ることと、思考を見ること」の違いを体験的に理解するACTのエクササイズを紹介しましょう。これは、**図11**に示すように、イメージの中で、頭に思い浮かんだ考えや思いを、川面に浮かべた葉っぱにのせて、次々に流すようにする練習です。この練習を始めて、ちょっと油断をすると、思考に呑み込まれて、川も葉っぱも見えなくなってしまいます。そうしたら、あわてずに、もう一度最初から

・あなたはゆったりとした川の流れの傍らに腰を下ろして、葉っぱが流れていくのを眺めています。

・ここで、自分の考えや思いに意識を向けてください。

・頭に思い浮かんだ考えや思いを、それぞれ１枚の葉っぱにのせて、流すようにしましょう。

・ここでの目的は、あなたが流れの傍らにいること、そして、葉っぱを流れ続けさせることです。

・もし、葉っぱが消えたり、意識がどこかよそに行ったり、あなたが川に入ったり、葉っぱと一緒に流れていることに気づいたら、一度中断して、何が起こったのかを観察しましょう。

・そして、もう一度、流れの傍らに戻って心に浮かぶ考えを観察し、それらを１つずつ葉っぱにのせて、流れさせましょう。

図 11 「流れに漂う葉っぱ」のエクササイズ[37]

やり直せばよいのです。

あれあれ、これは何かに似ていますね。そうです、これは先に説明したマインドフルネス瞑想そのものです。

私的出来事を回避するとどうなるか

ところで、言葉や思考の影響力の強さには、認知的フュージョン以外に、もう一つ大きな理由があるというのが、関係フレーム理論の重要な主張になっています。それは、体験の回避と呼ばれる行動傾向のことで、嫌悪的な状況だけでなく、それに対する自分の反応（嫌悪的な私的出来事）も回避する傾向と説明されています。つまり、嫌な気持ちや考えを持ちたくないために、自分の私的出来事を避けようと心を閉じてしまうわけです。

これがなぜ問題なのかというと、私的出来事は自分の中にあるものなので、避けようとすればするほど強く感じてしまい、思い浮かべる頻度も高まってしまうからです。例えば、不安になることがほんとに嫌だったとすれば、ちょっと不安になっただけで（そんなことは誰にでもあることなのですが）、ひどくビックリしてしまうことになるでしょう。そして、また不安になっているのではないかといつもチェックするようになり、その結果、不安に気づく頻度も増えてしまうわけです。

これを簡単に調べる面白い実験があるのでご紹介しましょう。それは、白熊の実験と呼ばれるもので、とても簡単ですから、皆さんも一緒にやってみてください。いいですか、それでは始めます。

今から三分間、白熊のことは絶対に考えないでください。

どうですか。しばらくは頑張れても、どうしてもチェックが入ってしまって、何度も考えていることに気づく方向に行ってしまったのではないでしょうか。ところで、過去一週間の間に白熊のことを考えたことは？　ありませんよね。

認知的フュージョンと体験の回避が悪循環を作ることも容易に理解できるでしょう。

図 12　旭山動物園で悠然と歩く白熊

つまり、何かネガティブなことを考えたとすれば、認知的フュージョンのために現実と感じられてしまうので、強い嫌悪感をもたらします。そこで、わざわざ避けるほどのものでもないのに、「もうこんなことは考えない」とやってしまい、なおその嫌悪感の強さや思い浮かぶ頻度が高まってしまうわけです。

心を閉じない、呑み込まれない

体験の回避と認知的フュージョンから抜け出すためには、苦手で嫌悪的な状況に直面した時に色々考えたり感じたりすることに対して、「心を閉じない、呑み込まれない」というスタンスを取るように努めることが必要になります。

認知的フュージョンは、考えたことを自動的に現実だと思うことで起こると説明してきましたが、思考と現実のほかに、もう一つフュージョンを起こしているものがあります。それはなんでしょう……？　それは、見ている自分なのです。

図13に描いたように、自分が考えているという事実をメタ認知的に見ることができて

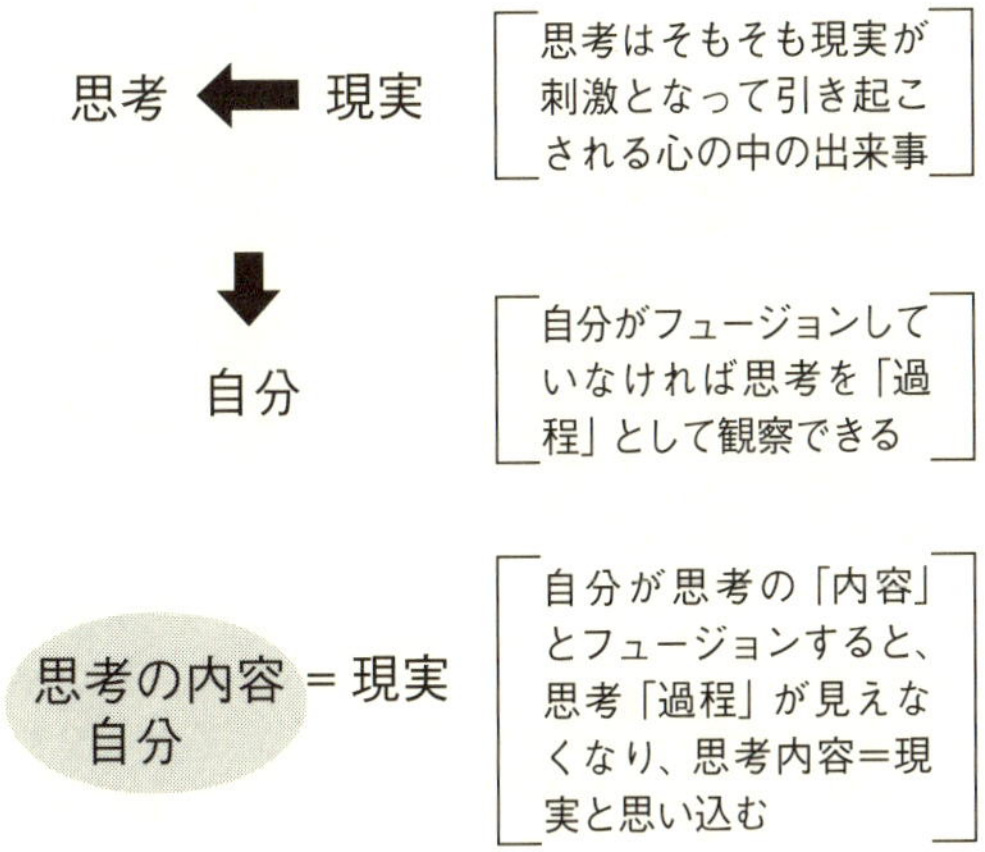
思考
現実
思考はそもそも現実が刺激となって引き起こされる心の中の出来事
自分
自分がフュージョンしていなければ思考を「過程」として観察できる
思考の内容
自分
= 現実
自分が思考の「内容」とフュージョンすると、思考「過程」が見えなくなり、思考内容＝現実と思い込む

図13　思考と現実に加えて自分もフュージョンを起こす

いれば、考えていることと現実とが別であることは分かるはずですね。ところが、自分と思考内容がフュージョンを起こしている（思考の中から見ている＝思考に呑み込まれてしまう）と、考えているということ自体が見えなくなりますから、現実ともフュージョンを起こしてしまうわけです。

これで、なぜ概念としての自己が優位になると危ないかが理解していただけたと思います。それは、その状態自体が自己概念という思考内容との同一化を意味しますので、現実との認知的フュージョンも容易に起こってしまうからなのです。そして、そのような状態に陥らないためには、プロセスとしての自己が十分に働いており、しかも場（観察者）としての自己が機能していることが必要であることも理解できるでしょう。

認知的フュージョンは、以上のように自動的に起こってしまうのですが、体験の回避も、気がつかないうちに心を閉じているという形で起こってきます。嫌なこと辛いことを避けようとすることは、当たり前でとても自然なことだからでしょう。

それに対抗するためには、不安、落ち込み、自信のなさなど、嫌な気持ちや考えに対して、逆に、そういうふうに感じたり考えたりするのはむしろ当然と考え、排除しないようにする練習を重ねることが重要になります。

なぜそういう気持ちや考えが出てくるのが当然かといえば、これまで同じような状況で何度も繰り返し出てきたものであり、習慣になっているからです。

別の言い方をすれば、第二章で説明したように、私的出来事も行動と捉えるなら、環境との随伴関係の中で維持されているわけですから、われわれの自由にはならない面が大きいのだ、ということです。

だから、嫌な考えや気持ちが出てきても、それを何とかしようとしないで、意識的にしばらく「横に置いておく」、「棚上げにしておく」ように（アクセプタンス）するわけです。

「心」は行動の原因ではない

ここでもう一度、私的出来事を行動と捉えること自体がうまく機能する面が出てきます。それは、私的出来事も非言語的行動も変わらず行動であるとすれば、必ずしも私的出来事が非言語的行動の原因であると考える必要がなくなるからです。

われわれは、ある考えや気持ちを持つことが行動の原因になると考える傾向がありま す。「そんなこと考えているから、○○ができないんだよ」というわけです。そうなる と、怖い電車に乗るためにはまずは不安をなくさなければならない、うつをよくして仕 事に戻るためには悲観的な考え方がなくならないといけない、糖尿病の治療を始めるに は糖尿病自体を怖がっていてはいけない、ということになってしまいます。あれあれ、 これでは体験の回避を引き起こしてしまうことになりそうですね。

それに対して、考えや気持ちなども行動であると考えれば、非言語的行動と同じよう に、それぞれが環境との随伴関係の中で引き起こされたり維持されたりしますし、行動 の連鎖として非言語的行動が私的出来事の原因（維持要因）になることも当然出てくる ことになります。そうなると、感じたり考えたりしていることとは別に、行動すること もできてよい、ということになります。

そして、目の前の必要な行動に取り組むために、一時的に横に置いておいた心配な気 持ちや考えのほうは、しばらくしてから振り返ってみると、そもそもが心の中の一過性の出来事だとすれば、弱くなったり、消えてしまったりしていることがむしろ多いことに気づくでしょう。

第三章で、「呼吸による気づきの教え」の説明の最後に、無常という法則の話をしました。すべての私的出来事・外的出来事は変わり続けていく一過性のものに過ぎず、したがって、われわれに「幸せをもたらしてくれるはずの不変の自分」などはいないということでした。

でもここで、もう一度それが意味するものを見てみてください。一時的に横に置いておいた心配な気持ちや考えがしばらくすると消えているのは、それが「無常」だからですよね。あれあれ、実は味方だったのか。

脱フュージョンのための工夫

ACTでは、認知的フュージョンに対して、**図14**に示したような脱フュージョンを図るためのいくつもの技法が考案されています。

- 瞑想中のように、「思考」に囚われずに、眺めるようにしてみる。
- 「思考」を、音だけしか感じられないようになるまで、大きな声で何百回も繰り返し言ってみる。
- 「思考」に大きさ、形、色、スピード、様式、風合いを与え、外的な事物を観察するのと同じように扱ってみる。
- 自分の心に、とても面白い「思考」を思いついてくれてありがとうと言う。
- 「思考」に関連して出てくる身体感覚、感情、記憶、行動傾向をよく観察して、それらの出来事を、生命現象の展開や変化の色々な側面として体験できるように時間を取ってみる。
- 自分の認知過程にラベル付けをしてみる（例：いま私は、「自分が完璧じゃないといけない」と考えている）。
- 「思考」を、一つひとつの言葉を頭の中で言うのに何分もかかるくらいゆっくりと、考えるようにしてみる。

図 14　認知的脱フュージョンの技法例 [38]

この中で簡単で効果的なものをいくつか紹介してみましょう。まず一つ目は先ほど「葉っぱのエクササイズ」として説明したものですね。

二つ目に挙げられているのは、なかなか面白い方法です。第二章で、例えば「お茶」と言った時に、すぐに湯気のたったお茶が浮かんでくるという話をしました。これがあるから言葉がバーチャルな現実を作り出してしまうわけですから、その機能を変えてしまおうというわけです。方法は簡単で、大きな声で何十回も「お茶、お茶、お茶、お茶……」と言っていくのです。そうするとそのうち意味のない音だけが聞こえているようになり、お茶のイメージは出てこなくなってしまいます。

これをいつも回避している言葉（例えば、うつ・不安・糖尿・地下鉄・渋滞・デブ・負け犬など）について行うと、大きな効果が得られることがあります。例えば、乗り物恐怖の方は、地下鉄と聞くだけでドキドキしてきたり、気持ちがざわざわしてきたりするのです。「チカテツ」という単なる四つの音であるだけなのに。そこで、**図15**に示したようなものを見せながら、「地下鉄という言葉に慣れてみましょう。大きな声で数十回言ってみてください」と練習してもらうわけです。そうすると、何度も言っている間

地下鉄　地下鉄　地下鉄　地下鉄
地下鉄　地下鉄　地下鉄　地下鉄
地下鉄　地下鉄　地下鉄　地下鉄
地下鉄　地下鉄　地下鉄　地下鉄
地下鉄　地下鉄　地下鉄　地下鉄
地下鉄　地下鉄　地下鉄　地下鉄
地下鉄　地下鉄　地下鉄　地下鉄
地下鉄　地下鉄　地下鉄　地下鉄
地下鉄　地下鉄　地下鉄　地下鉄
地下鉄　地下鉄　地下鉄　地下鉄
地下鉄　地下鉄　地下鉄　地下鉄
地下鉄　地下鉄　地下鉄　地下鉄…

図 15　地下鉄、地下鉄、…と繰り返してみる

に、怖さも身体の変化も起こらなくなります。それがどうしたの？　という感じかもしれませんが、この効果が治療後も続くことがめずらしくないのです。不快な言葉は、体験の回避とフュージョンによって行動を強く抑制する機能を持つ可能性が高いのですが、その言葉が意味のない音として体験されるような非日常的な文脈が一度でも提供されると、言葉の持つバーチャルな現実を作り出すという刺激機能から、普段の生活の中でも抜け出しやすくなるということです。

言葉の世界全体から距離を取るとは

もう一つ面白い方法は、**図14**の下から二番目に載っているものですが、自分が色々考え込んでいると気づいた時に、自分の思考内容の最後に「〜と考えた」という言葉をつけることです。「俺って皆に嫌われているのかな、と考えた」、「だって、話しかけてくれる人もいないしな、と考えた」という具合です。この練習を数分間続けていると、考えていることと現実は別だということが実感されてきて、フュージョンから抜けることができます。

これまで述べてきたようなことを理解はしていても、われわれの心は相変わらずどうしようもないことを考え続けます。それは私的出来事も行動であり、われわれの自由にはならないからなのですが、そこで、同図の四番目にある「とても面白い考えを思いついてくれてありがとう」と自分の心に言ってみるというのも、うまい方法だと思います。

これと同じような方法で、ある患者さんが考え出したものとして、「よきにはからえ」と心に言ってあげる、というのがありました。自分の考えや気持ちに振り回されることが少なくなりそうで、なかなかいいですよね。

上記のさまざまな方法を使うことで、ACTがどのような心の持ち方を目指しているのかということについて、わが国における関係フレーム理論やACTの第一人者である同志社大学の武藤崇(39)が「コンプリヘンシブ・ディスタンシング」という説明をしていたのが印象的でした。つまり言葉の世界全体から距離を取って、言葉によって作り上げられた世界の脱構築を図ることが狙いになるというわけです。

それが、二千六百年前にブッダがマインドフルネス瞑想によってたどり着いた「思考が生まれる以前の世界」とかなり近いものに思えるのは、私だけではないと思います。

マインドフルネスと智慧

さて、われわれの「自分探しプロジェクト」もいよいよ終盤を迎えました。本章ではこれまで、体験としての自己を相対化して、プロセスとしての自己を強化するための方法を探ってきました。その結果、二千六百年の歴史を持つマインドフルネス瞑想を通っても、最先端の認知行動療法であるACTを通っても、言葉や思考の世界から距離を取るという共通の地点にたどり着くことが見えてきました。

最後に触れておきたいのは、その後どうするかということです。われわれの大部分は、言葉の世界から自由に距離を取れるようになり、マインドフルネスを維持できるようになったとしても、出家などするわけではなく社会生活を続けていくことになります。そのためには、社会の中でたくさんの人や組織などと関係を持ち、仕事・家事・勉強などをしながら生きていくことになるわけです。

刻々と変わる環境と相互作用しながら生きていくためには、これまでに見てきたように「プロセスとしての自己」の働きが不可欠なのですが、社会の中では特定の課題を達成するために、かなり長期間に亘って、多くの人と一緒に活動をしていくことが求められる場面が少なくありません。

そこでは、色々な事実関係を分析して、一番望ましい行動を選択していくことが求められるため、これまでずっと厄介者扱いされてきた「概念としての自己」の働きも重要になるのです。その理由は、論理的分析や計画立案などを行うのは、概念としての自己を含む言葉の世界の働きだからです。

さて、この点について、マインドフルネスやACTは何を教えてくれるでしょうか。MBCTについて説明したところで、することモードに伴う強い感情状態として、欲・怒り・迷いがあるとお話ししました。この迷いについて、ローゼンバーグ[15]の『呼吸による癒し』を見ると、delusion という単語のほかに、selfing という単語が使われています。つまり、迷いとは、概念としての自己を作り出すことであり、それから抜け出すのがマインドフルネスの目的だというわけです。

そして迷いの対極として、「智慧《ちえ》」が語られています。マインドフルネスを突き詰めていって、迷いが絶たれ智慧が徐々に目覚めてくれれば、すべての現実を等身大に見通せるようになるということなのですが、そこまでの間どのように生活していけばよいのかという点については、マインドフルネス自体は教えてくれません。もちろん、マインドフルネスを日々実践しているテーラワーダ仏教などでは、日常生活を送る上でのブッダの教えである八正道やさまざまな戒律が指針となるわけですが、多くの読者にとって、そのままの形で参考にするのは難しいでしょう。

さて、ＡＣＴはどうでしょうか。こちらは、あくまでも現実社会で困っている人たちを助けるための方法として発展してきたものです。したがって、健康な社会生活を送る上での具体的な指針が示されています。それが、価値という考え方になります（**図16**）。

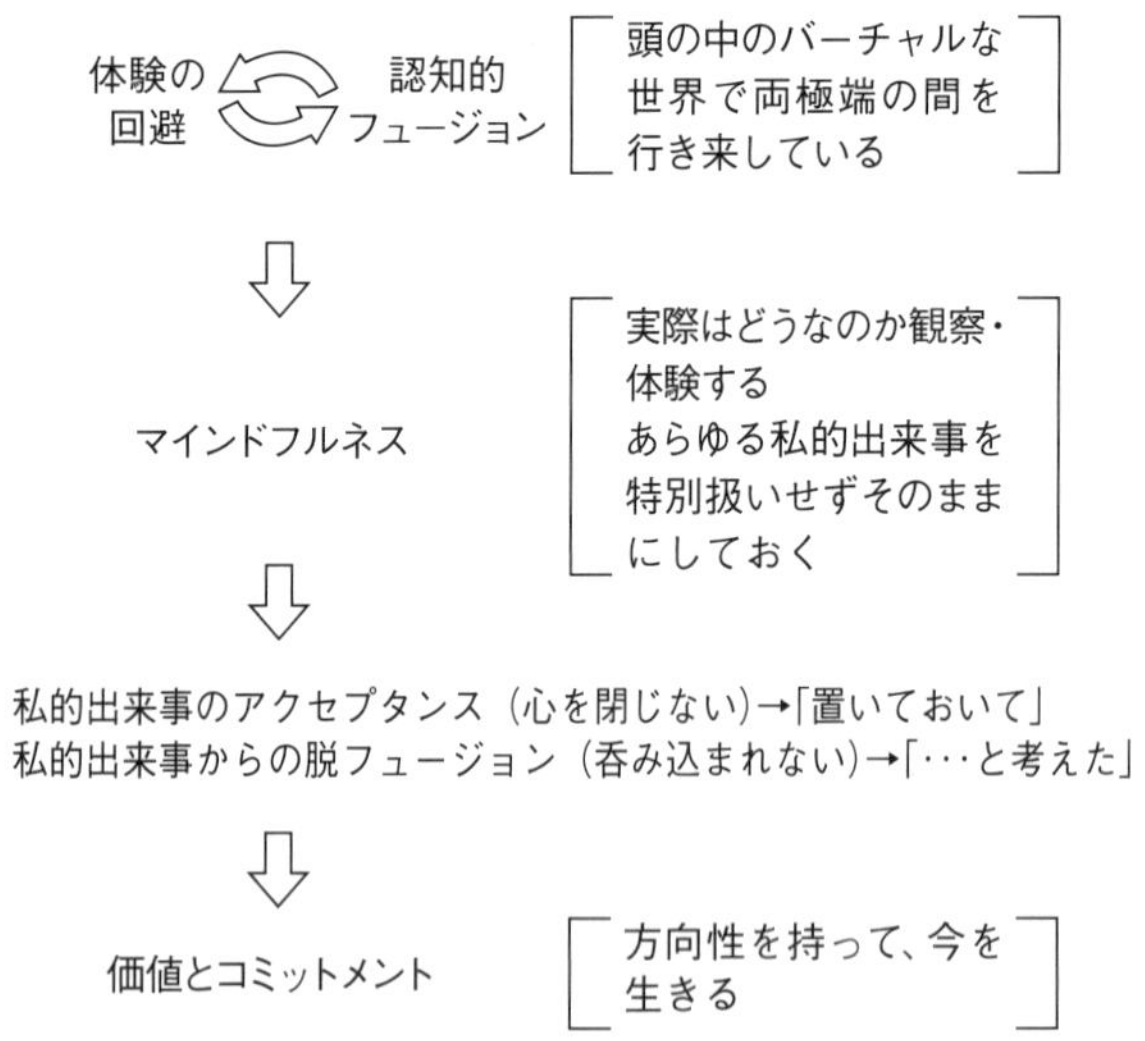
体験の回避
認知的フュージョン
頭の中のバーチャルな世界で両極端の間を行き来している
マインドフルネス
実際はどうなのか観察・体験する
あらゆる私的出来事を特別扱いせずそのままにしておく
私的出来事のアクセプタンス（心を閉じない)→「置いておいて」
私的出来事からの脱フュージョン（呑み込まれない)→「･･･と考えた」
価値とコミットメント
方向性を持って、今を生きる

図16　ACTにおける価値へ至る流れ

ACTと価値

ACTでいう価値とは、日本語の「価値観」という言葉から感じられる静的なものではなく、自分が生きていこうとする「方向」を示すものとされています。それは、誰の人生にも必要な、結局どうしたいのか、どう生きていきたいのかという方向性のことなのですが、それをつかもうとすると、認知的フュージョン、概念としての自己、過去と未来の優位などに邪魔されて、途端に手の間をすり抜けていってしまうような厄介なものなのです。

そこでACTでは、最初に、脱フュージョン、アクセプタンス、プロセスとしての自己や場としての自己の強化といったさまざまな介入を行い、言葉が持つ「毒」を取り除いていくことになります。その上で、もう一度考えてみれば、少しは曇りなく見極めることができるようになっているはずというわけです。しかし、大事な決断をしようとすれば、また、認知的フュージョン、概念としての自己……が顔を出します。そうしたら、また脱フュージョン、アクセプタンス……と繰り返していきます。

そしてそれと並行して、価値自体を明らかにするための作業にも取りかかっていきます。そこで思い出すべきは、われわれは動物と同じく、オペラント学習やレスポンデント学習で世界と深く関わっているという事実です。硬直化したルール支配行動から抜け出して、人間社会の中で適切に強化されるような行動パターンを身につけることが、ACTの大きな目標なのです。つまり、ACTにおける価値とは、強化が得られる行動を増やす機能を持つ言語刺激を意味しています。

そうだとすれば、一つは「プロセスとしての自己」に注目すればよいことになります。つまり、「ある方向」に向かって行動していると、元気が出てくる、うきうきしてくる、心が軽くなってくること（行動内在的強化といいます）があるかどうかが、自分にとっての価値と進んでいる方向が合っているかどうかの目安になります。

もう一つは、先ほど少し触れておいた概念としての自己の役割です。ここでは色んな方法で、自分にとっての価値は何なのかを考えていきます。例えば、「お葬式のメタファー」という方法が使われることがあります。

最初に、「もしあなたが今死んだとしたら、集まってくれた人達はあなたのことを何と言うでしょう」、と聞きます。
そして、次に、「今度はもう何十年か生きた後で亡くなったとします。そのお葬式で、あなたは、集まってくれたみんなに自分のことを何と言ってほしいと思いますか」、と聞いていきます。

この方法によって、本音で自分にとって最も大切な方向性を考えられるようになることや、自分があまりにも非現実的な目標を持っていることに気づいてもらうことを目指すことになります。皆さんも、ぜひ一度試してみてください。

キャラの檻《おり》から出て、街に出かけよう

ここでもう一度元に戻って、「概念としての自己」の何がまずいのかといえば、固定

してしまうと硬直化したルール支配行動につながってしまう、ということでした。

社会の中で生きるために自己概念を固定したものにしてしまうと、これまでに述べてきたように、あっという間に「無常な」環境とのミスマッチが起こり、うまく機能できなくなってしまいます。

それは、中高生が「それって、私のキャラじゃないのよね」などと言っているような状況です。自分のキャラを決めてしまえば、いつも同じグループで付き合っていればよいし、冒険しなくて済むから確かに楽ですが、いつの間にか自分だけが置いてきぼりにされてしまうことでしょう。

そうならないようにするためには、頭でっかちにならずに、街に社会に飛び出して、体験を通して新しいことを学び続けていくことが求められているわけです。そして、そこで「プロセスとしての自己」を十分に働かせ、「概念としての自己」にフィードバックをかけることが不可欠になります。

しかし、それだけでは、ある時は体験優先、ある時は理念優先と振り回されてしまい、一貫性が持てなくなる危険性があります。そこで、「場としての自己」によって、プロセスと概念の両方の自己が相互作用できる「場」を用意するというのがＡＣＴの立場です。そして、そのために、マインドフルネスの実践で鍛えられた心の基礎体力が心強い味方になるのは間違いないでしょう。

目の高さをどこまで高められるか

ここで、生命関係論を提唱した清水博[40]が、『生命知としての場の論理――柳生新陰流に見る共創の理』の中で解説している「目の高さ」という観点が参考になるかもしれません。「目の高さ」とは、自分が行っていることを、メタ認知的にどれくらい離れたところから捉えられているかということを意味する言葉で、柳生新陰流の奥義として伝来されているものです。

目の前の敵と戦う場合に、とにかく相手を倒したいという衝動に近い思いだけで動くのではなく、まずは少し離れた上空から見下ろしているような視点を持ってみます。そうすると、たった今どちらが優勢か、その理由は何かといった二人の相互作用が客観的に見えてくるわけです。

それだけであればそれほど特別な考え方ではないのですが、柳生新陰流では限りなく目の高さを高めていくことを目指していきます。例えば、さらに上空から見下ろせば、お互いの背後にいる味方がどのような力を持っているかも見えますし、さらには、勝負の結果がお互いの陣営にとって持つ意味も見えてきます。そして、もっともっと上空から見下ろせば、広い世界の中のこの場所で、あるいは長い人類の歴史の中のこの時代に、この相手と戦っていることがどのような意味を持っているのかということまで見えてくることでしょう……。と、際限なく「高み」から見ることができるわけですが、次は、そこまで目を引いて捉えたことを前提にして、じゃあ自分はどう行動すればよいのかと、「今、ここに」立ち戻って判断（選択）するわけです。

つまり、大げさに言えば、天地人のつながりの中で、「今、ここで」、この相手と戦っているのはどういうことなのかという位置関係をつかんだ上で刀を振り下ろせば、相手の存在も含めて関連するすべての力が生きてくるので、結果的に負けることなく対応できるというわけです。したがって、どこまで「目の高さ」を高めることができるかということが、まさに雌雄を決するとされているのです。

この教えは、自分が進むべきマクロな方向性を見出すために、いかにメタ認知的な「場」を作ることが大切かを教えてくれていると思います。つまり、目の高さを限りなく高める努力をすることによって十分な広がりを持った「場としての自己」が形成され、その中で「プロセスとしての自己」と「概念としての自己」の相互作用が起こることによって、「今、ここで」のマクロな方向性が見出されるといえるかもしれません。

プロジェクトのおわりに

さて、一緒に取り組んできた自分探しプロジェクトもそろそろ終了になります。最後に、皆さんも気になると思うキクちゃんの近況報告をしておきましょう。

キクちゃんは半年くらいでだいぶ元気になりましたが、その後も折にふれて、「ピーちゃんがいない」「ピーちゃんどこに行ったの」と叫ぶことがあり、ときどき元気がなくなることもある、とのことでした。もしかすると、自分と他者という概念が芽生えて苦しんでいるということなのかもしれませんし、ピーちゃんという名前に色んなイメージや記憶が結びつき、それを思い浮かべているのかもしれません。

ピーちゃんが亡くなって一年余りたった頃に、状況が変わらないようなら、「ピーちゃん、ピーちゃん、ピーちゃん……」という脱フュージョン技法をAさんに使ってもらうようにしたらよいかな、などと考えていた矢先、ここのところ急にひょうきんになってきたという話をAさんがし始めました。

例えば、「キク」と呼ぶと、「ちゃん、ちゃん、ちゃん」と後につけて言ってみたり、止まり木から降りて籠の下のほうに隠れていて、「キクちゃん」と呼ぶと、ヒョイと戻って驚かしたりするそうです。そして、「キクちゃん面白いね」と言うと、「キクちゃん、かわいい子」と言ったりするというのです。

それに、向こうから聞かれたことに答えると喜ぶが、こちらから何かを言わせようとすると無視されるなどという話を聞くと、まるで人間の子どものようです。Aさんも「孫と同じくらい意思の疎通があるし、おかげで私もほんとに元気になりました」と言っていました。

そして、ピーちゃんのことに関しても、「ピーちゃんどこに行ったの？」と聞いてくるのに対して、「空に行ったのよ。かあちゃんも、キクちゃんも、いつかピーちゃんのところに行くんだよ」と答えると、嬉しそうに声を出して笑っているように聞こえるというではありませんか。

この話を聞いて、一年経って、やはり「悲哀の仕事」が終わったのかなと感じるのは私だけではないと思います。

ただ、一つ気になることは――Aさんの家の裏に畑があって、そこに色んな種類の鳥が集まってくるそうです。そしてうるさいくらいの鳴き声が聞こえるのですが、キクちゃんはこれまでほとんど気にしませんでした。それがしばらく前から、鳥たちの声を聞いているような仕草が見られるようになったというのです。Aさんが、「キクちゃんのお友達がいっぱい来てるね」と言うと、黙って耳を澄ませているように見えるそうです。

結局、キクちゃんが言葉を使えるようになった光と影は推測するしかありませんが、Aさんと楽しく過ごしている様子を聞くと、キクちゃんにとっても光の部分があるのは間違いないと思います。ただ、それと同時に、この一年間随分辛い思いもしたのかもしれませんし、その体験が「言葉が始まる前の世界」へ郷愁を駆り立てているのかもしれないと思うのです。そう、『魔女の宅急便』のジジのように。

でも、私はAさんの主治医として、キクちゃんにもう少し「かわいい孫」でいて欲しいな、とも思うのです。

文献

（1）小此木啓吾『対象喪失―悲しむということ』、中公新書、一九七九年

（2）イレネ・マクシン・ペッパーバーグ（著）、渡辺茂、山崎由美子、遠藤清香（訳）『アレックス・スタディ―オウムは人間の言葉を理解するか』、共立出版、二〇〇三年

（3）http://www.wired.com/medtech/health/news/2005/07/68226

（4）Frith CD, Frith U. Interacting minds: A biologlcal basis. Science 286: 1692–1695, 1999

（5）Premack D, Woodruff G. Does the chimpanzee have a theory of mind? The Behavioral and Brain Sciences 1(4): 515–526, 1978

（6）Call J, Tomasello M. Does the chimpanzee have a theory of mind?: 30 years later. Trends in Cognitive Sciences 12(5): 187–192, 2008

（7）Happe F. Theory of mind and the self. Annals of New York Academy of Science 1001: 134–144, 2003

（8）ユーナス・ランメロ、ニコラス・トールネケ（著）、松見淳子（監修）、武藤崇、米山直樹（監訳）『臨床行動分析のＡＢＣ』、日本評論社、二〇〇九年、一七七―一九二頁

（9）Dugdale N, Lowe CF. Testing for symmetry in the conditional discrimination of language-trained chimpanzees. Journal of the Experimental Analysis of Behavior 73: 5–22, 2000

（10）佐藤方哉「言語への行動分析学的アプローチ」、日本行動分析学会編『ことばと行動―言語の基礎から臨床まで』、ブレーン出版、二〇〇一年、三―二二頁

（11）Hayes SC, Barnes-Holmes D, Roche B. Relational Frame Theory: A Post-Skinnerian Account

of Human Language and Cognition. Plenum Pub Corp, 2001
（12）井上ウィマラ『心を開く瞑想レッスン』、大法輪閣、二〇〇三年
（13）ジョン・カバットジン（著）、春木豊（訳）『マインドフルネスストレス低減法』、北大路書房、二〇〇七年
（14）Bishop SR, Lau M, Shapiro S, Carlson L, Anderson ND, Carmody J, Segal ZV, Abbey S, Speca M, Velting D, Devins G. Mindfulness: A proposed operational definition. Clinical Psychology: Science and Practice 11(3): 230–241, 2004
（15）ラリー・ローゼンバーグ（著）、井上ウィマラ（訳）『呼吸による癒し―実践ヴィパッサナー瞑想』、春秋社、二〇〇一年
（16）井上ウィマラ『呼吸による気づきの教え―パーリ原典「アーナーパーナサティ・スッタ」詳解』、佼成出版社、二〇〇五年
（17）Creswell JD, Way BM, Eisenberger NI, Lieberman MD. Neural correlates of dispositional mindfulness during affect labeling. Psychosomatic Medicine 69(6): 560–565, 2007
（18）アルムボッレ・スマナサーラ『自分を変える気づきの瞑想法』、サンガ、二〇〇四年
（19）Lazar SW, Kerr CE, Wasserman RH, Gray JR, Greve DN, Treadway MT, McGarvey M, Quinn BT, Dusek JA, Benson H, Rauch SL, Moore CI, Fischl B. Meditation experience is associated with increased cortical thickness. Neuroreport 16(17): 1893–1897, 2005
（20）Draganski B, Gaser C, Busch V, Schuierer G, Bogdahn U, May A. Neuroplasticity: Changes in grey matter induced by training. Nature 427(6972): 311–312, 2004
（21）早稲田大学人間科学学術院の榊原伸一教授との私信（二〇一一年）。
（22）松岡豊「魚油による海馬神経新生でトラウマから脳を守る」、こころの科学、一五〇巻：三二

一三七頁、二〇一〇年
（23）Vogeley K, Bussfeld P, Newen A, Herrmann S, Happe S, Falkai P, Maier W, Shah NJ, Fink GR, Zilles K. Mind reading: Neural mechanisms of theory of mind and self-perspective. NeuroImage 14: 170–181, 2001
（24）Saxe R, Wexler A. Making sense of another mind: The role of the right temporo-parietal junction. Neuropsychologia 43: 1391–1399, 2005
（25）Lombardo MV, Chakrabarti B, Bullmore ET, Wheelwright SJ, Sadek SA, Suckling J, MRC AIMS Consortium, Baron-Cohen S. Shared neural circuits for mentalizing about the self and others. Journal of Cognitive Neuroscience 22(7): 1623–1635, 2009
（26）Damasio AR. The Feeling of What Happens: Body and Emotion in the Making of Consciousness. Houghton Mifflin Harcourt, 1999, pp.169–172.
（27）Grossman P, Niemann L, Schmidt S, Walach H. Mindfulness-based stress reduction and health benefits. Journal of Psychosomatic Research 57: 34–43, 2004
（28）Ledesma D, Kumano H. Mindfulness-based stress reduction and cancer: a meta-analysis. Psycho-Oncology 18(6): 571–579, 2009
（29）ＮＰＯ法人人間性探求研究所　http://www.npo-mindtalk.org/
（30）ジンデル・Ｖ・シーガル、ジョン・Ｄ・ティーズデール、マーク・ウィリアムズ（著）、越川房子（監訳）『マインドフルネス認知療法―うつを予防する新しいアプローチ』、北大路書房、二〇〇七年
（31）熊野宏昭『ストレスに負けない生活』、ちくま新書、二〇〇七年
（32）Teasdale JD, Moore RG, Hayhurst H, Pope M, Williams S, Segal ZV. Metacognitive aware-

ness and prevention of relapse in depression: Empirical evidence. Journal of Consulting and Clinical Psychology 70(2): 275–287, 2002

（33）http://www.j-theravada.net/howa/howa35.html

（34）栗田昌裕『仕事と学習の成果を高める　栗田式奇跡の速読法』、ＰＨＰ研究所、一九九七年

（35）http://www.j-theravada.net/howa/howa10.html

（36）ジェイソン・Ｂ・ルオマ、スティーブン・Ｃ・ヘイズ、ロビン・Ｄ・ウォルサー（著）、熊野宏昭、高橋史、武藤崇（監訳）『ＡＣＴ（アクセプタンス＆コミットメント・セラピー）をまなぶ―セラピストのための機能的な臨床スキル・トレーニング・マニュアル』、星和書店、二〇〇九年

（37）スティーブン・Ｃ・ヘイズ、スペンサー・スミス（著）、武藤崇、原井宏明、吉岡昌子、岡嶋美代（訳）『ＡＣＴ（アクセプタンス＆コミットメント・セラピー）をはじめる―セルフヘルプのためのワークブック』、星和書店、二〇一〇年

（38）Hayes SC, Luoma JB, Frank W, Bond FW, Masuda A, Lillis J. Acceptance and Commitment Therapy: Model, processes and outcomes. Behaviour Research and Therapy 44: 1–25, 2006

（39）熊野宏昭、武藤崇、原井宏明、神村栄一、丹野義彦：座談会「ＡＣＴとは何か？」、こころのりんしょう à la carte、二八巻一号：六一―七六頁、二〇〇九年

（40）清水博『生命知としての場の論理―柳生新陰流に見る共創の理』、中公新書、一九九六年

著者略歴

熊野宏昭（くまの　ひろあき）

1960年、石川県生まれ。1985年、東京大学医学部卒。東京心療内科医員、東北大学大学院医学系研究科人間行動学分野助手、東京大学大学院医学系研究科ストレス防御・心身医学（東京大学心療内科）助教授（2007年4月より准教授）などを経て、2009年4月から、早稲田大学人間科学学術院教授。心身症、摂食障害、パニック障害などを対象に、薬物療法や面接治療に加え、リラクセーション、認知行動療法、アクセプタンス&コミットメント・セラピー（ACT）、マインドフルネスなどの行動医学的技法を積極的に用いている。著書に『ストレスに負けない生活』（ちくま新書）、『マインドフルネス・瞑想・座禅の脳科学と精神療法』（新興医学出版社／共編）、訳書に『ACT（アクセプタンス&コミットメント・セラピー）をまなぶ』（星和書店／共監訳）など。

マインドフルネスそしてACTへ

2011年10月5日　初版第1刷発行

著　者　熊 野 宏 昭

発行者　石 澤 雄 司

発行所　株式会社 星 和 書 店

〒168-0074　東京都杉並区上高井戸1-2-5

電話　03（3329）0031（営業部）／03（3229）0033（編集部）

FAX　03（5374）7186（営業部）／03（5374）7185（編集部）

http://www.seiwa-pb.co.jp

　　Printed in Japan　　ISBN978-7911-0787-2